P9-DNM-282

исцели себя сам

Мирзакарим НОРБЕКОВ

Уроки Норбекова

Дорога в молодость и здоровье

2-е переработанное издание

ПИТЕР®

Москва · Санкт-Петербург · Нижний Новгород · Воронеж
Ростов-на-Дону · Екатеринбург · Самара
Киев · Харьков · Минск
2003

Мирзакарим Норбеков

Уроки Норбекова

Дорога в молодость и здоровье
2-е переработанное издание

Серия «Исцели себя сам»

Главный редактор	Е. Строганова
Зам. главного редактора (Москва)	Е. Журавлева
Заведующий редакцией (Москва)	Н. Бурцева
Зам. главного технолога (Москва)	Ю. Климов
Редактор	Е. Халипина
Художник	С. Маликова
Корректоры	Е. Гоголева, В. Юрьева
Верстка	М. Аввакумов

Данная книга не является учебником по медицине. Все рекомендации должны быть согласованы с лечащим врачом

ББК 53.59 УДК 615.89

Норбеков М.

Н82   Уроки Норбекова. 2-е изд.. — СПб.: Питер, 2003. — 192 с.: ил. — (Серия «Исцели себя сам»).

ISBN 5-272-00367-5

Вы держите в руках 2-е переработанное издание книги «Уроки Норбекова». Это означает, что вы ступили на дорогу здоровья и молодости. 12 занятий по этой книге помогут вам самостоятельно пройти путь духовного и телесного самовосстановления. Уникальная система оздоровления и омоложения уже помогла многим обрести радость жизни. Она представляет собой сплав лечебных методик Древнего Востока и новейших открытий современной медицины. Воспользовавшись этой системой, вы станете властелином своего здоровья. Плохое зрение, слабый слух, шрамы, морщины, заболевания суставов, расстройства половой функции — эти и многие другие проблемы перестанут для вас существовать.

© ЗАО Издательский дом «Питер», 2003

Все права защищены. Никакая часть данной книги не может быть воспроизведена в какой бы то ни было форме без письменного разрешения владельцев авторских прав.

ISBN 5-272-00367-5

Лицензия ИД № 05784 от 07.09.2001.
Подписано к печати 21.01.2003. Формат 84×108¹/₃₂. Усл. п. л. 10,1.
Тираж 25 000 экз. Заказ № 715.
ООО «Питер Принт». 196105, Санкт-Петербург, ул. Благодатная, д. 67.
Отпечатано с готовых диапозитивов в ФГУП ИПК «Лениздат» (типография им. Володарского)
Министерства РФ по делам печати, телерадиовещания и средств массовых коммуникаций.
191023, Санкт-Петербург, наб. р. Фонтанки, 59.

Оглавление

Предисловие автора ко 2-му изданию

Дорогие читатели!

Вынужден Вас предостеречь!

За последнее время под моим именем вышли десятки разных книг: и система Норбекова такая, и система Норбекова другая, и расширенная, и дополненная, и усовершенствованная, и ускоренная, и еще Бог знает какая! Несколько лет назад где-то на периферии вышла книга по лечению сахарного диабета, которую Я НЕ ПИСАЛ, но на обложке значится мое имя. Вы уже поняли, о чем я говорю? У меня дома собрана целая библиотека таких трудов.

Недавно вышла еще одна такая книга с подзаголовком «Полная система Норбекова». Она прекрасно издана и привлекает к себе внимание. Но, чтобы Вам было понятно, объясню.

То, что я пытаюсь передать Вам, на самом деле мне не принадлежит. Это вообще не принадлежит и не может принадлежать кому-то одному. Мне эти знания передали мои Наставники, а им — их Наставники. И так из века в век, из тысячелетия в тысячелетие. В глубине, в самой основе этой системы лежат очень древние знания. Это мировоззрение, содержащее такие тонкости, которые не каждый может постичь!

Не буду сейчас вдаваться в подробности. Скажу одно. Чтобы стать мастером, ученик проходит обучение в течение сорока лет! Можете себе представить?! И его, прежде чем направить на этот тернистый путь, три года обучают, как быть учеником. Затем двенадцать лет готовят, и только после этого начинается настоящая учеба. Наставник по крупицам передает знания ученику.

Летом 2002 года исполнилось тридцать лет моего ученичества.

Что я этим хочу сказать?

С одной стороны, я и сам еще не закончил обучение. С другой, я и десятую часть знаний, которыми уже овладел, не передал своим ученикам. Тем более еще не перенес на бумагу! Откуда тогда, скажите, пожалуйста, может появиться ПОЛНЫЙ КУРС?!! О полном курсе я еще даже не начал говорить. Я готовлюсь, готовлюсь и готовлюсь к этому, потому что это — дело всей моей жизни.

Я благодарен людям, которые пишут от моего имени о системе и, таким образом, обо мне. Но хочу сказать: сам я написал бы СОВЕРШЕННО ИНАЧЕ!

Они вообще пишут что-то совсем другое! Я не хотел бы приписывать себе чужие заслуги. Будет лучше, если мнение обо мне Вы составите по моим собственным трудам. Настоящие мои книги Вы узнаете сразу, с первой страницы.

Если Вы — мужчина, то сначала почувствуете твердое дружеское рукопожатие, если Вы дама, то — прикосновение моих губ к Вашей руке... и только потом получите тумака по башке или шлепок по попочке. Вот эти ваши странные ощущения как раз и будут означать, что эту книгу я написал сам.

«Верни здоровье и молодость. Практическое руководство для мужчин и женщин» — это мой первый жалкий опыт написания книги на русском языке.

Следом за ней вышло переработанное и дополненное издание — «Дорога в молодость и здоровье. Практическое руководство для мужчин и женщин». Переработку сделали без моего согласия, и книга получилась мертвой.

А вот «Опыт дурака, или Ключ к прозрению. Как избавиться от очков» — мой первый любимый ребенок, моя первая нежная, светлая и чистая любовь.

Трясясь от страха, чтобы не обидеть Вас моими «выпадами», я все-таки выпустил ее такой, какой подсказывала мне душа. Сюда просочилась моя суть. Вот эта книга и есть моя визитная карточка и Ваш главный ориентир на будущее! А на ближайшее будущее запланирована целая серия книг, в каждой из которых мне есть, что сказать.

Книга, которую Вы сейчас держите в руках, написана «по мотивам» моих первых книг. Это учебник, скорее даже методическое пособие для тех, кто готов распрощаться со своими недугами, кто по-настоящему решил работать над собой, кто хочет узнать, на что способна сила его духа. Ваши отклики и накопившийся опыт работы заставили меня внести в это издание некоторые дополнения и изменения. Надеюсь, эта книга принесет Вам пользу.

Есть такая поговорка: «Кто не умеет работать, тот учит. Кто не умеет ни того, ни другого, пишет книгу». Ну что мне делать, если я, к сожалению, умею работать?!

Всей душой с Вами,
Мирзакарим Норбеков

Введение

Тысяча лекарей предлагают тысячу дорог, но все они ведут к единственному храму здоровья и молодости. Так говорили древние мудрецы. Они не занимались наукой в нашем понимании этого слова, но сделали очень много на пути к самопознанию, они умели справляться с недугами, практически не прибегая к помощи сторонних средств.

Теперь на этом пути перед нами воздвигнуто много барьеров. Человек современной цивилизации отягощен знаниями о внешней природе вещей и абсолютно безграмотен в отношении своей внутренней сути. Его действия мало посвящены созиданию, на работе он — винтик в запущенном не им механизме, дома он — потребитель еды, энергии и лекарств. Он дошел до того, что перестал петь: за него поют звезды телеэкрана. Он стал раздражительным, пугливым, безынициативным, больным. Он не умеет выбраться из беды без посторонней помощи. Дорога к самоисцелению ему неизвестна. Я говорю о данности, не имея намерения наводить на весь белый свет критику или кого-то пугать.

Цель этой книги — вернуть человеку себя. Кто-то сказал врачу: «Исцелися сам!» Мне хочется, чтобы эта фраза могла быть обращена к любому из нас, ибо каждому доступно сделаться властелином и ваятелем собственного здоровья.

Вот уже десять лет прошло с тех пор как мне выпало счастье работать в этом направлении по оригинальной методике, объединяющей как древние исследования природы человека, так и современные представления о возможностях человеческого организма.

Методика полностью запатентована и включает 18 авторских изобретений. В ней нет ничего от экстрасенсорики и гипнотического внушения, она не предлагает пациентам никаких суперлекарств или иных целительных средств. Она лишь указывает на путь, по которому следует двигаться больному, чтобы справиться с недугом, ему досаждающим или ставящим его на грань жизни и смерти.

Клинические исследования подтвердили, что предлагаемая методика прекрасно способствует исцелению от таких тяжелых недугов, как язва, хронические заболевания желудочно-кишечного тракта, дисбактериоз, бронхиальная астма, сахарный диабет, болезни щитовидной железы. Кроме того, она помогает одолеть болезни, считающиеся в официальной практике неизлечимыми. Сюда входят: неврит слухового нерва, неврит зрительного нерва, доброкачественные новообразования (особенно гинекологические, такие как киста или миома) и др.

Сейчас по этой методике работают многие врачи России, Израиля, Германии, США и добиваются результатов, которые могут быть названы феноменальными. Новообразования рассасываются, глухой начинает слышать, слепец — видеть.

Я говорю об этом вовсе не затем, чтобы подогреть интерес публики к настоящему изданию, просто мне думается, что информация об успешном применении приемов самолечения, изложенных в книге, поможет многим нуждающимся уверовать в них. Вера и стремление к победе — вот два основополагающих жизнетворных фактора. Неверие убивает волю, за скепсисом стоит небытие.

Откуда страждущий знает, что болезнь его действительно неизлечима? Может быть, просто его опыт,

сотканный из разочарований и поражений, нашеп-
тывает ему, что выхода нет. Но мой личный опыт позволяет мне утверждать, что выход всегда есть и он
указывает на дорогу, по которой прошли уже многие
тысячи людей, благополучно вернувших себе здоровье и бодрость. Я счастлив, что мог в какой-то мере
способствовать им.

Успеха вам, радости и удачи во всех начинаниях!

Урок первый

1. Суть метода.
2. Основные правила, заповеди и запреты.

Cовременный человек именует себя царем природы, опрометчиво полагая, что право на то ему дают топор, автомобиль и ружье. При всем том этот царь настолько плохо ориентируется в подвластном ему царстве, что любой зверек (даже домашняя кошка) чувствует себя там гораздо комфортнее, чем самозванный властитель.

Животные всегда поступают так, как подсказывает им интуиция, они никогда не действуют себе во вред. Да, отвоевывая жизненное пространство, они частенько вступают в жестокие схватки, они так же, как и мы, уязвимы и тоже болеют, но почему-то не бегают по врачам. Ни волк, ни медведь, ни кабан, ни лиса ни к каким поликлиникам не приписаны, «скорая помощь» с красным крестом на боку к ним не спешит. Они сами себе доктора, ибо ограждены системой внутренней самозащиты. Такая система имеется и у нас.

Слеза без наших каких-либо на то указаний вымывает соринку, попавшую в глаз, царапины на коже сами собой затягиваются, переломы срастаются, гематомы рассасываются — наш организм знает, как ликвидировать такие дефекты. Значит ли это, что он способен справляться не только с физическими повреждениями, но и с другими, более серьезными и мучительными недугами? Восточная медицина говорит — да.

Врачеватели Древнего Востока рассматривали болезнь как нарушение равновесия между силами организма. Правильный образ жизни поддерживает эту защиту на должном уровне, полагали они. Болезнь указывает на то, что защита в каком-либо месте ослаблена или прорвана. Стоит устранить причину прорыва, и баланс восстановится — прорыв затянется, а болезнь уйдет. При этом само собой разумеющимся считалось активное участие больного в процессе лечения с мобилизацией всех его внутренних как физических, так и душевных сил.

Современная европейская медицина, в отличие от восточной, пытается искоренить непосредственно заболевание, то есть принимается «латать прореху» с помощью лекарственных снадобий, хирургии и других вспомогательных средств. Страждущий в течение процедур, как правило, остается пассивной фигурой. Он безволен, как вещь, с которой делают что захотят. «Латка» какое-то время сдерживает напор внешней агрессии, но в конце концов начинает трещать по швам, ибо, во-первых, причина, вызвавшая недуг, продолжает активизировать вредоносные силы, а во-вторых, внутренние силы самозащиты пораженного организма находятся в глубоком анабиозе, подавленные прострацией пациента.

Наша задача — пробудить эти силы и подвести их к стану противника. Далее все свершится без нас. Схватка будет либо молниеносной, либо несколько затянется, но исход сражения предрешен. Враг непременно будет разбит, ибо наш внутренний энергетический ресурс практически неисчерпаем. Не сомневайтесь, это действительно так.

Где же находятся эти гигантские силы? Вот ответ: в сокровенных глубинах души. Тот, кому эта фраза покажется претенциозной и глупой, может тут же закрыть эту книгу: ему она ничем не поможет, лучше полистать детектив. Тот, чья душа не совсем закоснела и открыта для восприятия и постижения, пусть приготовится к путешествию в удивительную страну своего «Я».

Следует предупредить: эта книга — *учебник*, а не *лечебник*. Она лишь подскажет, что делать и куда двигаться, а результаты зависят только от вас. То есть от степени вашей устремленности к цели, от вашей добросовестности и способности к обучению и самодисциплине. Вам придется немало поработать, чтобы развить в себе качества, которые пока спят.

Еще одно. Самолечением по нижеизложенным рекомендациям не следует самостоятельно заниматься беременным женщинам, а также людям:

- страдающим тяжелыми психическими расстройствами и состоящим на учете у психиатра;
- страдающим тяжелыми онкологическими заболеваниями;
- перенесшим инфаркт миокарда, инсульт;
- имеющим порок сердца;
- болеющим гипертонией с артериальным давлением выше 180/90–100 мм рт. ст.

Во всех этих случаях необходимы индивидуальные занятия под контролем эксперта.

Теперь поговорим о том, что требуется от вас.

Собственно говоря, чтобы не вдаваться в перечисления, от вас в работе нужны две вещи: добрая расположенность и доверие к автору этих страниц. Приготовьтесь сердцем принять на веру или, по крайней мере, не принимать в штыки то, что вам пока не очевидно в окружающей вас повседневности, то, что нельзя измерить прибором, потрогать руками или попробовать на зубок. Еще приготовьтесь безоговорочно уверовать в три постулата, являющихся основой данной методики:

1) человек не набор органов (здоровых или не очень здоровых), а целостная система, в которой все физические составляющие неразрывно связаны с иными компонентами, нематериальными с точки зрения официальной медицины, такими как эмоции, психика, душа, интеллект. Официальная медицина пытается оздоровить только тело, в иные глубины заглядывают лишь психиатры, но и у них карманы набиты транквилизаторами, подавляющими волю и дух пациента;

2) любые лекарственные препараты, а также хирургическое вмешательство, экстрасенсорика, кодирование, гипноз — все это «гуманитарная помощь» извне, навязывание чуждой программы действий;

3) самовосстановление и саморегуляция — неотъемлемые качества вашего организма. Сейчас они подавлены, опутаны сетью, сотканной из ложных понятий и представлений. Готовьтесь к внутреннему духовному пересмотру и большим переменам в себе.

Обретение душевного равновесия, ведущее к оздоровлению тела и омолаживанию всего организма, — вот смысл и цель вашей будущей работы. Рассмотрим направления, по которым она будет строиться.

Первое. Упражнения для позвоночника и массаж головы.

Это основной физический аспект наших занятий. Позвоночник — опорный столп нашего тела, в котором сосредоточены все нервы, ведущие к внутренним органам. Если эти нервы зажаты, функции органов нарушаются, начинаются боли в сердце, ухудшается зрение и т. д., не говоря уже о болезни века — остеохондрозе, симптомы которого часто обнаруживаются даже у молодых людей.

Поверхность головы также имеет массу биологически активных точек, массаж которых благотворно влияет на наш организм.

Второе. Тренировка образного мышления, эмоций, воображения, чувств.

И. Сеченов писал, что мысль есть задержанное движение. Иными словами, мысль определяет готовность тела к будущему действию. Когда мы говорим себе, что надо сделать то-то и то-то, в нас активизируется определенная группа мышц и выделяется соответствующее количество гормонов, необходимое для приведения замысла в исполнение. Эти подвижки составляют материальную подоплеку мыслительного процесса.

Мысль является мощным инструментом воздействия на организм. Равно как и наши эмоции. Давно замечено, что раны победителя заживают быстрее, а подавленное состояние духа способствует быстрому развитию грозных заболеваний.

Представим себе лимон. Во рту у нас тут же сделается кисло. Попробуем мысленно укусить этот лимон. И тут же ощутим обильное выделение слюны. А теперь вообразим огромного паука или скорпиона, приближающегося к нашей босой ноге. Не правда ли, ощущение не из приятных? Нога непроизвольно дергается, а по спине бежит холодок. Это наш организм выбросил в кровь порцию адреналина. Наш организм приводит нас в состояние *соответствия ситуации* независимо от того, реальна она или существует только в нашем воображении.

Что же из этого следует? «У меня нелады с печенью, — скажете вы, — а мне подсовывают каких-то там пауков! Зачем мне все это?» Не торопитесь с выводами. Мы, начиная с малого, будем тренировать образное мышление для того, чтобы сформировать в себе яркий и четкий образ здоровья. Наши чувства, ощущения, мысли — это программа действий для наших внутренних органов. Научившись управлять своими эмоциями, мы получим ключ к запуску механизма выздоровления.

Третье. Воспитание воли. Работа с ощущениями определенного типа.

Наше тело отнюдь не жесткая, застабилизированная субстанция. Оно, если образно выразиться, течет, как река. Известно, например, что слизистая желудка обновляется за 7−10 дней, кровь — за 3−4 месяца и т. д. Но если наше тело — река, то наши мысли суть русло этой реки. Наша цель — направить это русло в нужную сторону (а именно — к молодости и здоровью), то есть нам следует *проявить волю*, которую можно и нужно тренировать.

Мы живем в своем теле, как квартиранты, и соответственно относимся ко всему, что творится в нем. Пришла пора приватизировать временное жилье и по-хозяйски заняться его обустройством. Поначалу следует осмотреться. Что тут у нас творится? Кран течет, унитаз забит, дверь перекошена, окна засижены мухами, от них так и веет сквозняком. Малой кровью здесь, как видно, не обойтись. Предстоит работа, сопряженная с хлопотами, и очень немалыми. «Ах-ах! — восклицаете вы. — Как быть? Ведь я от природы ленив!» Значит, вам следует себя превозмочь, а это возможно сделать лишь с помощью волевых усилий. Еще очень важно настроить себя на работу и *верить* в грядущий и непременный ее успех. Вера в победу греет и придает человеку новые силы.

Не печальтесь — мыть стекла, выгребать хлам и прочищать унитаз вам самолично вряд ли придется. К счастью, наш организм — идеальный работник. Ему надо лишь «развязать руки» и показать, к чему в первую очередь приступить.

Вспомните, как приятно чешется заживающая рана. В больном месте то зудит, то покалывает, его постоянно окатывает то холодок, то тепло. Мы научимся *произвольно* вызывать в себе эти ощущения (*тепла, покалывания, холода*) и направлять их к больному органу, мысленно массируя его и поглаживая. Так потирают ушиб, для того чтобы он быстрее прошел.

Теперь несколько слов о том, что вас ожидает.

Уже в начальной стадии тренировок (через пару-другую дней) ваш организм приступит к капремонту ячейки, которая дает сбои, и основательно ее растревожит. Тут держитесь, вам может показаться, что болезнь стала обостряться. К счастью, такая вспышка обыкновенно длится не более суток. Дальше вам предстоят более приятные вещи.

Многие люди, прошедшие курс обучения по данной методике, отмечают, что на каком-то этапе занятий в душе вдруг поселяется *безоговорочная вера в выздоровление* и наступает пора *умиротворенного ожидания*. Это чувство остается с выздоравливающим и усиливается день ото дня. Надеюсь, и вас не минет такое переживание, если вы будете внимательны, настойчивы и усердны. Выход из заболевания начинается сразу после старта. Для кого-то — через два-три денька, для кого-то — через три или четыре, кому как повезет.

Курс занятий в аудитории рассчитан на 10 дней. За этот срок большинство семинаристов успевают освоить методику и основные ее упражнения, далее процессы оздоровления и омоложения начинают протекать очень быстро, чтобы не сказать лавинообразно.

К сожалению, при самостоятельных занятиях (только по книге) темпы снижаются и на обучение отводится не менее 40 дней. Помощь преподавателя сама по себе имеет большое значение, да и успехи соседей подхлестывают ученика. Однако не унывайте, если решились самостоятельно взяться за дело, у вас непременно все получится, только тихонько шепните себе: я это смогу!

К концу каждого цикла занятий обучающиеся меняются — и внешне, и внутренне. Эти перемены столь разительны, что им не перестаешь удивляться. Впрочем, есть от чего прийти в тихий восторг, когда люди прямо на глазах избавляются от болезней, нередко мучивших их в течение десятилетий. Такие факты документально зафиксированы, они подтверждены клиническими исследованиями с помощью самых современных высокоточных приборов.

Запреты, заповеди и правила

Прочтите с особым вниманием этот раздел. Вам не следует приступать к тренировкам без детального осмысления и внутреннего приятия нижеизложенных положений.

Запреты

1. Не забегайте вперед. В первые три-четыре дня — никаких глобальных суждений о себе, о своем со-

стоянии и перспективах, а также о данной методике.

2. Не слушайте нытиков, не советуйтесь с умниками.

3. Не отвлекайтесь во время занятий (даже на телефонный звонок).

4. Не превращайте себя в механизм. Помните о смысле и цели. Тренировка для тренировки — путь в никуда.

5. Не перенапрягайтесь. Работайте до появления чувства легкой усталости. Признак перегрузки — ощущение тяжести в голове. В этом случае необходимо снизить интенсивность занятий.

6. Не приступайте к занятиям, если вас клонит в сон.

7. Не приступайте к занятиям, если вы голодны или устали.

8. Лень и пассивность — вещи недопустимые. Для них оправданий нет.

9. Главный совет — не тяните волынку. Не *затягивайте процесс выздоровления на бесконечный срок.*

Заповеди

1. Просыпайтесь с чувством радости, счастья, полета. Живите в таком состоянии весь день. Если на первых порах это чувство не будет возникать самопроизвольно, старайтесь вызвать его искусственно, вспоминая самые светлые моменты вашей жизни.

2. В голове во время занятий должна царить бездумная легкость. Не позволяйте мозгу анализировать, размышлять. Воспринимая стороннюю информацию, не старайтесь ее удержать. Освободите разум от условностей и ограничений.

3. Настройтесь на полное выздоровление. Уверенность в победе способствует реализации замысла

больше, чем что-либо другое. Не унывайте, если что-то не ладится. Доверьтесь своей интуиции, она подскажет, что следует изменить.

4. Забудьте слово «болезнь», выбросьте его из сознания. Повторяйте как можно чаще мысленно и вслух:

    Я здоров...

    Я счастлив...

    Я молод...

    Я неуязвим...

    Я все могу...

5. Всегда представляйте себя таким, каким вам хотелось бы состояться внутренне и выглядеть внешне.

6. Относитесь к себе с любовью и уважением. Никогда, даже мысленно, не браните и не унижайте себя. Похваливайте себя за малейшее достижение. Помните, вы — властелин своей судьбы и своего тела, а не аморфное жалкое существо, вечно ждущее чьей-то помощи или милости.

А еще помните, что все наши устремления направлены на реализацию духовных сил, заложенных в нас природой. Обретение утраченного здоровья, распахивающее перед нами врата в страну неувядающей молодости, всего лишь веха на долгом пути к совершенству. Выздоровление произойдет как бы попутно, но не по мановению волшебной палочки, к нему надо двигаться поэтапно, шажок за шажком, прилежно изучая учебный материал и усложняя тренировки.

Следует повторить, что процессу исцеления почти всегда сопутствует некоторая активизация болезни. При гипертонии возможны кратковременные кризы, при мочекаменном заболевании — почечные колики.

Помните, такие обострения свидетельствуют о начале выздоровления.

О том, что позитивный процесс пошел, говорит следующее:

- повышение температуры в районе больного органа с возможным незначительным повышением температуры всего тела;
- появление там легкой приятной пульсации;
- подергивание, покалывание, слабое жжение;
- приятный зуд, как при заживлении раны;
- обострение чувства голода, повышенный аппетит, улучшение деятельности желудочно-кишечного тракта (организм нуждается в «строительных материалах»);
- повышенная сонливость;
- при быстрой нормализации давления возможны кратковременные головные боли.

Самостоятельные занятия не должны длиться более одного часа в сутки в процессе освоения методики (первые 7–10 дней), затем им следует посвящать 30–40 минут в день. Заниматься следует 3–5 дней в неделю (отдыхая 2 дня подряд). Продолжительность и режим тренировок в будущем устанавливаются по показаниям. Разминка должна занимать не более 15 минут.

Перетренировка, перенапряжение недопустимы. В данном случае «масло» может испортить всю «кашу».

Признаки перетренировки: бессонница, раздражительность, головная боль. Неприятности исчезают с понижением нагрузки.

Тем, кто находится под наблюдением врача, ни в коем случае не следует самовольно уменьшать дозу лекарственных препаратов, а тем более прекращать их прием. Делать это можно лишь с ведома того, кто вас наблюдает. Предупреждение особо касается тех, кто болен гипертонией, бронхиальной астмой или сахарным диабетом, а также тех, кто принимает гормональные препараты.

Быстрое улучшение самочувствия еще не выздоровление. Приготовьтесь к методичному искоренению заболевания. Двигаться к цели следует шаг за шагом, *ни в коем случае не перескакивая через ступеньки*. Это предупреждение в первую очередь обращено к максималистски настроенной молодежи.

Перечислим основные направления, по которым нам придется работать.

1. Восстановление душевного равновесия путем тренировок эмоций, чувств, воображения; воспитание самоконтроля с закреплением этого качества на вечные времена.
2. Тренинг подавленных способностей организма к саморегуляции и к самовосстановлению (омолаживанию). Запуск механизма самооздоровления.
3. Повышение сопротивляемости организма:
   ○ укрепление иммунной системы;
   ○ нормализация обмена веществ;
   ○ нормализация деятельности нервной системы и психики;
   ○ восстановление сексуальной потенции и достижение гармонии в сфере интимных отношений.
4. Улучшение (восстановление) функций органов чувств: зрения, слуха, обоняния.
5. Устранение многих видов последствий перенесенных травм, операций или заболеваний: рубцов, шрамов, спаек, грыж, стрий (подкожных разрывов), пигментных пятен (кроме родинок).

6. Омоложение лица и шеи.

7. Воспитание воли к достижению цели. Начальная установка: в самые короткие сроки (не более полутора-двух месяцев) восстановить нормальное функционирование нездорового органа, а также всего организма.

8. Нормализация веса.

9. Для женщин — гинекологический медитативный аутомассаж (самопроизвольные сокращения матки), улучшение формы груди.

Перед тем как приступить к следующему уроку, *обзаведитесь дневником* и приготовьтесь неукоснительно выполнять следующие позиции.

1. Прямо с завтрашнего утра кратко зафиксируйте в дневнике свое исходное состояние и потом (до окончания курса) *отмечайте все изменения*, которые будут с вами происходить. На память не надейтесь. Практика показала, что ученики, не ведущие записей, начинают путаться в своих ощущениях уже через 2–3 дня.

2. Ежедневно *контролируйте состояние своей утренней мочи*. Помочившись в чистую баночку, отмечайте цвет мочи, прозрачность, количество, наличие осадка (для чего сосуд должен постоять 10–15 минут). Данные аккуратно заносите в дневник.

3. Дважды в день обязательны *водные процедуры*. Утром — возбуждающий душ или обтирание грубым мокрым теплым полотенцем до появления красноты и чувства горения кожи. Вечером теплый душ, успокаивающий, расслабляющий. Эти процедуры, помимо своего оздоравливающего значения, будут помогать вашей коже справляться с возросшей нагрузкой, ибо во время занятий, особенно

в первые дни, очистительный механизм вашего организма резко активизируется и начнет работать на полную мощность. Омовения будут в какой-то мере устранять и неприятный запах пота, который может у вас появиться на первых порах.

4. Утром натощак и вечером перед сном обязательно принимайте до одного стакана приятно горячей (как чай, который вы пьете) *кипяченой воды*. Это необходимо для нормализации работы желудочно-кишечного тракта.

5. В дневнике своими словами сформулируйте цель — вашу цель. Не перечисляйте все свои болячки или диагнозы. Забудьте о них. Пишите в утвердительной форме: через такое-то время я приведу в порядок то-то и то-то. Например: «Мое зрение полностью восстановится через 10 дней». Или: «Моя печень на 8-й день будет функционировать нормально». Сроки устанавливайте, исходя из того, что весь курс рассчитан на 40 (плюс-минус 5) дней (см. раздел «План работы на будущее»).

Предстоящую работу *разбейте на этапы*. Например, на три.

I этап — освоение методики, запуск очистительного механизма. (Это подготовительный этап, но для вас — самый важный. Вы закладываете фундамент будущего успеха.)

II этап — освоение основных упражнений. Начало выздоровления с последующим лавинообразным процессом улучшения самочувствия.

III этап — закрепление достигнутого и начало биологического омоложения.

Запомните: *для успешного достижения цели осваивать данную методику следует по порядку, ничего не пропуская и ничего не добавляя в предлагаемые позиции!*

И последнее. Всегда чуть завышайте планку, готовясь взять очередной барьер. Между «отличным» и «удовлетворительным» как раз и лежит тот запас прочности, который еще никогда никому не мешал. Не помешает такой запас и вашему организму.

Урок второй

1. Разминка:
   * аутомануальный комплекс (массаж биологически активных точек головы);
   * упражнения для позвоночника;
   * упражнения для суставов рук и ног.
2. Дыхательная медитативная гимнастика.

На этой ступени вам предлагается овладеть комплексом самых эффективных упражнений, специально отобранных для занятий по омоложению организма. Поскольку каждое из последующих занятий вам придется начинать именно с него, в дальнейшем этот комплекс будет именоваться одним словом — «разминка».

Массаж биологически активных точек головы не требует каких-либо специальных навыков и доступен любому человеку. Он разработан и апробирован на базе Института востоковедения АН Узбекистана и при всей своей простоте обладает удивительной эффективностью. Вы очень скоро убедитесь в этом на собственном опыте. Например, люди с ослабленным обонянием уже после первой минуты воздействия на соответствующую точку начинают четко воспринимать запахи. Такой массаж незаменим при гайморитах, фарингитах, бессоннице и т. д.

Почему воздействие на какие-то там мало чем примечательные точки влияет на функции сложно устроенных органов? Потому что, как мы уже говорили, человеческий организм есть целостная и взаимосвязанная система.

Кроме того, в биологически активных местах нашего тела размещается гораздо большее количество рецепторов, чем в других, там больше клеток, вырабатывающих биологически активные вещества, выброс которых рефлекторно стимулирует тот или иной орган. Зачастую через активную точку проходит нерв или кровеносный сосуд, окруженный сплетением нервных волокон. Отмечено, что размеры таких точек и их электрические параметры меняются при резких переменах погоды или во время сна, а также зависят от общего состояния организма. В экстремальных ситуациях (например, при болезни) диаметр точки может значительно увеличиваться — до 1 см и более.

Воздействие на биологически активные точки мы станем сочетать с другими упражнениями, отобранными по очень жестким критериям. В первую очередь эти упражнения обращены к нашему позвоночнику. Они настолько просты, что в начале практики меня порой одолевало сомнение, будет ли от них хоть какой-нибудь толк. Однако успех превзошел все ожидания.

Взять бич городских (малоподвижных) жителей — остеохондроз. Теперь тех, кому он досаждает, мы исцеляем с полной гарантией. Опрос бывших учеников спустя два года после окончания обучения показал, что 90 % из них забыли и думать об этом недуге. Почему же к 10 % вернулась болезнь? Ответ прост — лень-матушка родилась раньше их. Получив облегчение, они решили, что дело в шляпе, и постепенно перестали делать профилактическую разминку, вернувшись к прежнему образу жизни. Наказание не заставило себя ждать.

Многие относятся к остеохондрозу как к заболеванию досадному, но не очень серьезному. Не забывайте: остеохондроз, если его запустить, тянет за собой разного рода невралгии, радикулит, а иногда и сколиоз.

Практически все наши внутренние органы управляются через нервные каналы, отходящие от заключенного в позвоночнике спинного мозга. Это хорошо показано на рис. 1. Если позвоночник не в порядке, защемление нервных стволов затрудняет функционирование тех или иных жизненно важных ячеек нашего организма, а это, в свою очередь, провоцирует развитие прочих болезнетворных процессов.

Таким образом, можно сказать, что позвоночник не только главная часть арматуры нашего тела, но и тот столп, на котором зиждется наше здоровье. С ним

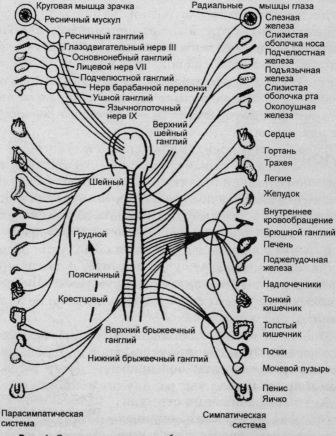

Рис. 1. Схема расположения биологически активных точек

надо обращаться на «вы» и регулярно проводить соответствующие тренировки, поддерживающие его «спортивное» состояние.

Два слова о любопытном эффекте, который дает практика таких упражнений. Ученики после регулярного тренинга заметно прибавляют в росте. Конечно, это не рост в биологическом смысле этого слова, просто восстановленная эластичность межпозвоночных дисков возвращает позвоночнику прежнюю форму. Человек перестает сутулиться и выглядит выше, чем был.

Достоинство разминочных упражнений состоит в том, что они абсолютно безопасны. Комплекс достаточно прост и походит на рядовую утреннюю гимнастику. Но... не торопитесь с выводами, это лишь внешнее сходство. И не перенапрягайтесь, иначе сведете всю работу на нет.

Аутомануальный комплекс

Массаж биологически активных точек головы и, прежде всего, лица проводится с помощью трех пальцев — указательного, среднего и безымянного. Рис. 2 показывает, как их располагать. Можно также пользоваться и одним большим пальцем (рис. 3).

Пальцы ни в коем случае не «втыкают», а лишь массируют подушечками на нужном месте. Направление воздействия строго вертикальное — без растирающих движений. Сила воздействия должна быть такой, чтобы возникало ощущение, среднее между болезненным и приятным.

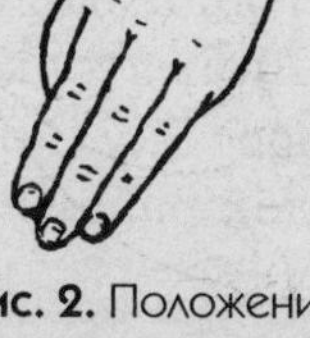

Активные движения стимулируют кровообращение в кончиках пальцев и активизируют ток кро-

Рис. 2. Положение пальцев при массаже биологически активных точек

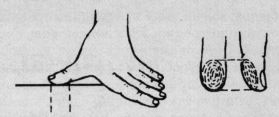

Рис. 3. Правильное направление при надавливании
на биологически активные точки

ви в других частях тела. Поскольку нервные окончания пальцев непосредственно связаны с мозгом, их работа способствует успокоению психики и даже противостоит развитию мозгового склероза.

Не случайно на Востоке существует привычка постоянно перебирать четки, а в Китае — вертеть грецкие орехи и потирать руки.

Рекомендуемый массаж головы и лица рассчитан на общестимулирующее воздействие, подготавливающее организм к основным упражнениям.

Массаж многофункциональных точек улучшает кровообращение головного мозга. Усиливает отток лимфы от головы (чем регулируется кровяное давление), активизирует структуры подкорковых образований (гипоталамус, гипофиз, ретикулярная и лимбическая системы), которые ведают тем, что мы называем подсознанием, где происходят процессы, связанные с медитацией и интуицией. От этих структур зависит все, что происходит с нами, вплоть до нашего поведения и эмоционального состояния.

Внимательно рассматриваем рис. 4 и приступаем к массажу (по 8—10 движений на каждую точку). Порядок работы таков:

1) точка на лбу между бровями («третий глаз»);

2) парная точка по краям крыльев носа (ее массаж восстанавливает обоняние);

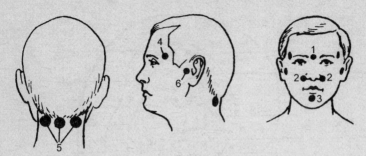

Рис. 4. Биологически активные точки лица

3) точка на осевой вертикали, делящей лицо пополам, между нижней губой и верхней линией подбородка;

4) парная точка в височных ямках;

5) точка чуть выше линии роста волос, в ямке у наружного края трапециевидной мышцы (там, где ощущается углубление);

6) точка между наружным слуховым проходом и краем нижнечелюстного сочленения (в области козелка уха).

Массаж ушных раковин

Рассмотрим внимательно рис. 5. Перед нами — ушная раковина с довольно известными проекциями на нее различных органов и других составляющих человеческого организма. На правую раковину обычно проецируются органы правой половины тела, на левую — левой, хотя у небольшого числа людей встречается проецирование перекрестное.

Ушная раковина — весьма любопытный атрибут нашего тела. В настоящее время известно 170 биологически активных точек, размещающихся на ее сравнительно небольшой поверхности, причем точки с пониженным электрокожным сопротивлением при нормальном состоянии организма обнаружению не

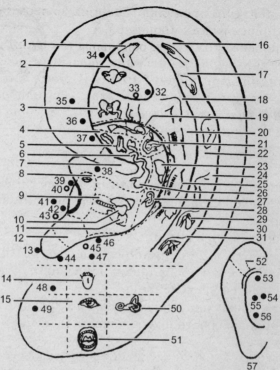

Рис. 5. Проекции частей тела и внутренних органов на ушную раковину (Иглоукалывание. — М.: Медицина, 1988):

1 — пальцы стопы, голеностопная область; 2 — матка; 3 — седалищный нерв; 4 — толстая кишка; 5 — аппендикс; 6 — тонкая кишка; 7 — диафрагма; 8 — рот; 9 — трахея; 10 — сердце; 11 — легкие; 12 — три части туловища; 13 — зрение; 14 — язык; 15 — глаза; 16 — кисть; 17 — запястье; 18 — колено; 19 — почки; 20 — живот; 21 — поджелудочная железа; 22 — локоть; 23 — печень; 24 — плечо; 25 — область груди; 26 — желудок; 27 — селезенка; 28 — шейный отдел позвоночника; 29 — плечевой сустав; 30 — лопатка; 31 — шея; 32 — точка тхан-мон; 33 — ягодица; 34 — геморрой; 35 — наружные половые органы; 36 — мочеточник; 37 — нижняя часть прямой кишки; 38 — пищевод; 39 — вершина козелка; 40 — горло; 41 — нос; 42 — надпочечник; 43 — носовая полость; 44 — зрение; 45 — яичко; 46 — точка, регулирующая дыхание; 47 — лоб; 48, 49 — точки анальгезии; 50 — внутреннее ухо; 51 — миндалины; 52 — гипотензивная канавка; 53 — головная боль; 54 — почки; 55 — сердце; 56 — нижняя конечность; 57 — тыльная поверхность ушной раковины

поддаются. Они проявляются лишь во время развития патологических процессов.

На поиске этих точек основывается аурикулодиагностика, воздействие на них оказывает целительное влияние и изгоняет болезнь. Иногда эти точки выдает покраснение (побледнение) какого-либо участка ушной раковины, иногда этот участок шелушится или болит при надавливании.

Ухо иннервируется (связывается) нервными волокнами шейного сплетения, а также тройничным, лицевым, языкоглоточным и блуждающим нервами. Богатая иннервация обеспечивает богатство реакций на внешнее раздражение. Говоря короче, нам следует внимательно, с большим пиететом относиться к своим ушам. И, естественно, с большим прилежанием массировать их (так, чтобы они «загорелись» или, если хотите, «раскраснелись от удовольствия»).

Действовать будем в нижеизложенной последовательности, совершая по 8—10 движений в каждый прием.

1. Потянем с умеренной силой мочку уха сверху вниз.
2. Потянем ушную раковину от слухового прохода вверх.
3. Потянем среднюю часть ушной раковины от слухового прохода в наружную сторону.
4. Выполняем круговые движения ушной раковины по часовой стрелке.
5. Выполняем круговые движения ушной раковины против часовой стрелки.

Основательно поработав с каждой раковиной, сделаем легкий успокаивающий массаж лица ладонями (в привычной именно вам снимающей усталость манере).

Хочу отметить, что на подошвах наших ног также имеется большое количество активных точек и зон, соотносящихся с различными органами и областями нашего тела.

Таким образом, пробежка босиком по росе — не только всплеск ностальгии по детству, но и оздоровительная акция. Старайтесь чаще ходить босиком, время от времени массируйте ваши ступни.

Упражнения для глаз

Они также порождены опытом народного врачевания и благотворны при неврозах, гипертонии и повышенном внутричерепном давлении.

Работаем (непременно!) без напряжения, свободно, не щурясь, каждое движение повторяем 8–10 раз.

1. **Вертикальные движения.** Глаза идут вверх (мы словно пытаемся взглянуть изнутри на собственную макушку), затем вниз («глядим» на гортань).
2. **Горизонтальные движения.** Глаза ходят вправо и влево. Движения легкие, словно играющие.
3. **Круговые движения глаз** — сначала по часовой стрелке, затем — против нее.

Упражнения для позвоночника

Малоподвижный образ жизни чреват многими неприятностями. Одна из них — сплющивание и деформация межпозвоночных дисков. Кровообращение в окружающих позвонки тканях ухудшается, и в результате позвоночный столб усыхает. Многие люди с возрастом теряют несколько сантиметров в росте, а старость вообще сгибает в дугу. Сохранить гибкость позвоночника — значит сохранить молодость и здоровье. Именно к этому мы и стремимся. Поэтому проявляем усердие и прилежание, осваивая данный материал.

Ученики, имевшие травмы позвоночника, а также перенесшие операции в этой области, должны быть особенно внимательны и осторожны.

Прежде чем приступить к тренировке, разобьем позвоночник на отделы — шейный, верхнегрудной, нижнегрудной и поясничный. Мы будем тренировать каждый из этих отделов (или группу отделов), уделяя ему все внимание и стараясь, насколько возможно, сохранить неподвижность в оставшихся. Основные движения таковы: сгибание-разгибание, компрессия-декомпрессия (сжатие и разжатие), скручивание-раскручивание. Каждое движение выполняется 8–10 раз. Из однотипных упражнений для одного занятия выбираем одно-два.

Дышим только через нос, тренируя слизистую оболочку и сосуды. Тем самым улучшаем рефлекторный приток крови к мозгу. Кто дышит через нос, тот лучше мыслит. Кроме того, кислород в пазухах носа ионизируется (приобретает отрицательный заряд), а только такой кислород усваивается кровью.

Если позвоночник нездоров, тренировки развивают вокруг него мышечный корсет, предохраняющий его от чрезмерных изгибов. Наклоны и повороты массируют межпозвоночные диски, хрящи, а также прилегающие связки и суставные сумки. Они лучше снабжаются кровью, становятся эластичными, меньше старятся и постепенно излечиваются. Да-да, излечиваются, вопреки приговору официальной медицины. Необратимое становится обратимым. Соли в суставах перемалываются, а если и продолжают откладываться, то не на трущихся местах, а в сторонке, не мешая движениям (что добросовестно подтверждают рентгеновские снимки).

В процессе тренировок позвонки раздвигаются, занимая естественное положение, и деформированные хрящи тут же начинают расти. Хрящи обладают изумительной способностью к восстановлению. Вы можете «вырастить» себе молодой позвоночник независимо от того, сколько вам стукнуло лет.

Растягивая позвоночник, мы улучшаем функции практически всех внутренних органов. Кроме того, каждое упражнение выполняет свои целевые задачи. Позиция «лук», например, активно работает против головной боли, усталости глаз и расстройства желудка.

Упражнения шеи тренируют вестибулярный аппарат, снимают головокружение, унимают морскую болезнь, что особенно важно для тех, кого укачивает в транспортных средствах. С этих упражнений мы и начнем тренировку.

Шейный отдел позвоночника

1. *«Чистка перышек»*. Подбородок скользит вниз, касаясь груди. Голова следует за подбородком. Шея несколько напряжена. Птичка чистит перышки.

2. *«Черепаха»*. Голова плавно откидывается назад и касается затылком спины. В такой позиции пытаемся втянуть ее в плечи по вертикали. Затем следует плавный наклон головы вперед. Точно так же (строго по вертикали) тянем ее в себя. Подбородок прижат к груди, его сверхзадача — коснуться пупка. Поначалу работаем без усилий, затем с легким напряжением. Делаем 8—10 движений в каждом направлении.

3. *Наклоны головы вправо и влево с фиксацией плеч*. Позвоночник от копчика до спины постоянно прямой. Движения плавные, плечи абсолютно неподвижны. Наклоняем голову и без особых усилий пытаемся коснуться ухом плеча (8—10 движений в каждую сторону). Не смущайтесь, если не достигнете цели. Со временем вы будете делать это свободно.

4. *«Собачка»*. Представьте себе, что у вас через нос и затылок проходит незримая ось вращения. Придерживаясь ее, начинаем поворачивать голову (как

бы вокруг носа). Подбородок идет в сторону и вверх. Собачка прислушивается к словам хозяина. Упражнение выполняем в трех вариантах:

- ○ голова поставлена ровно;
- ○ голова наклонена вперед;
- ○ голова откинута.

5. *«Сова»*. Голова поставлена ровно (в одной плоскости со спиной). Медленно уводим взгляд вправо или влево и поворачиваем за ним голову до упора, как бы стараясь увидеть, что творится у нас за спиной. С каждым разом пытайтесь «отвоевывать» по миллиметру-другому, но без особых усилий, не забывая, что вы все-таки не сова. В каждую сторону делаем 8–10 движений.

6. *«Тыква»*. Круговые движения головы, объединяющие предыдущие упражнения. Шея служит хвостиком тыквы. Голова-тыква перекатывается по плечам. Без перенапряжения, но с достаточными усилиями шейных мышц выполняем последовательно освоенные элементы. «Чистим перышки», достаем ухом плечо, «черепаха» — подбородок коснулся груди, стремясь к вожделенному пупку, затем переходим к другому плечу, касаемся его ухом, затем затылок пошел к спине — втянули голову, как в панцирь, — и двинулись к очередному плечу.

Верхнегрудной отдел позвоночника

1. *«Нахмуренный ежик»*. Плечи — вперед, подбородок подтянут к груди, руки сцеплены перед собой (ладони охватывают локти). Поясница неподвижна. Подбородком достигаем груди, не отрывая тянем его к пупку. Верхняя часть позвоночника должна прогнуться, как лук. В это же время ровно поставленные плечи идут, чуть-чуть напрягаясь, вперед — навстречу друг другу. Представляем, что на спине у нас — от шеи до лопаток — выскочили

иголки. Ежику что-то не нравится, он ощетинил-ся. Все внимание — верхнегрудному отделу позво-ночника. Стараемся его получше прогнуть. К об-ратному движению переходим без остановки. Го-лова откидывается, затылок идет к спине. Тянем голову вниз, одновременно стараясь свести за спи-ной лопатки, ни в коем случае не поднимая плеч. В этом положении стараемся прогнуть верхнюю часть спины.

2. *«Весы».* Полусогнутые кисти лежат на плечах. Одно плечо идет вверх, другое — вниз, голова слег-ка наклоняется в ту же сторону. Прогибаем позво-ночник верхнегрудного отдела и с каждым разом стараемся чуточку увеличить прогиб. Проделыва-ем то же в другом направлении. Все внимание — позвоночнику. Начинаем получать удовольствие от движений. Дышим свободно. Уход от исходной позиции — выдох, возвращение к ней — вдох.

3. *Подъемы и опускания плеч.* Голова неподвижна, спина прямая, руки по швам. Опуская плечи, тя-нем руки вниз и добавляем небольшое усилие. За-тем поднимаем плечи — до упора и опять добавля-ем усилие в этот момент. Через 5—6 занятий ам-плитуда движений возрастет, вы в этом убедитесь на деле.

4. *«Паровозик».* Превратимся в это всем известное средство передвижения. Расположив руки по швам, представим, что наши плечи — колеса. Двинулись в путь — постепенно, не торопясь и расширяя раз-мах круговых движений. Оборот в секунду — и не пыхтеть! Дышим ровно, спокойно. Помним о по-звоночнике.

5. *Наклоны влево и вправо (руки по швам).* Работа-ем стоя. Руки плотно прижаты к туловищу. Начи-наем делать наклоны. Руки от тела не отрываем, поочередно тянем их вниз. Сверхзадача (естествен-

но, недостижимая) — коснуться кончиками пальцев ступни. Секрет в том, что при фиксации рук в положении «по швам» изгибается верхняя часть позвоночника, которую мы тренируем. Делаем по 10 движений в каждую сторону. Наклон — выдох, подъем — вдох.

6. *«Пружина».* Позвоночник прямой. В такой позиции (при жестко неподвижном тазе):

   а) сжимаем позвоночник, как пружину;

   б) растягиваем его.

7. *Скрутка.* Позвоночник, кроме верхнегрудного отдела, жестко неподвижен. Кисти на плечах, смотрим прямо перед собой. В этом положении пытаемся вращать нефиксированную часть позвоночника вправо и влево, с каждым разом стараясь чуть продвинуться дальше.

Нижнегрудной отдел позвоночника

1. *«Большой хмурый ежик».* Работаем так же, как с упражнением «нахмуренный ежик», но представляем, что иголки выскакивают по всей спине — от шеи до поясницы. Таз жестко неподвижен.

2. *Наклоны вперед и назад.* Работаем, сидя на стуле или на полу. Руками держимся за сиденье стула, стремясь уткнуться носом в собственный пуп, на вдохе спина выпрямляется. На каждое движение затрачиваем по 5—6 секунд. Делаем 8—10 движений без серьезных усилий. При наклонах назад позвоночник уходит вперед. Стараемся затылком достать ягодицы. Два раза по 8—10 движений.

3. *«Паровоз».* Круговые движения в плечевых суставах, но при этом работает и позвоночник, выполняем несколько упражнений в следующем порядке: «ежик», затем «сжатая пружина», затем обратное движение (прогибание позвоночника вперед), «разжатая пружина». Плечевые суставы при этом

вращаем вперед. То же самое проделываем, вращая плечевые суставы в обратную сторону.

4. *«Лук»*. Кулаки уперлись в спину — в области почек. Стараемся как можно ближе свести локти, представляя, что кулаки все глубже погружаются в тело. Позвоночник выгибается, как натянутый лук (кулаки — стрелы). Другими словами, позиция выглядит так, словно вы собираетесь сделать мостик. В этом положении стараемся прогнуть позвоночник еще чуть-чуть. Обратное движение. Начинаем «сутулиться», прогибая нижнегрудной отдел позвоночника в обратную сторону. Дойдя до предела, стараемся прогнуться еще чуть-чуть.

5. *«Большие весы»*. Левая рука на затылке, правая — вдоль тела. В этом положении делаем наклоны вправо, затем аналогичным образом — влево, каждый раз прилагая дополнительные усилия.

6. *Вращение позвоночника вокруг своей оси.* Внимательно изучите описание! Работаем сидя. Спина и голова выпрямлены и расположены на одной линии. Поворачиваем плечи и голову вправо. Будьте внимательны, основные действия начнутся только сейчас! Повернувшись до упора, совершаем небольшие поступательные движения, каждый раз легким усилием пытаясь отвоевать лишние сантиметры. Затем выполняем аналогичное упражнение на повороте влево. Дыхание не задерживаем, дышим свободно.

7. *Скрутки.* Фиксируем таз, кисти рук — на плечах. Из этой позиции приступаем к скруткам. Уводим глаза в произвольную сторону (словно пытаясь увидеть, что у нас сзади), затем поворачиваем следом голову, затем — плечевой пояс. Амплитуда скруток при этом невелика, но каждое движение как бы чуть увеличивает угол поворота. Таким образом выполняем три вида скруток:

а) прямые (стоим прямо);

б) с наклоном вперед (примерно на 45°);

в) с отклонением назад (под небольшим углом).

Поясничный отдел позвоночника

1. *«Лыжник» («конькобежец»)*. Руки сзади — на пояснице. Спина прямая, смотрим перед собой. Из этой позиции совершаем наклоны вперед, растягивая мышцы поясницы все больше и больше.

2. *«Мостик»*. Сначала назад идет голова, затем шея, затем спина (весь позвоночник прямой). Отклоняемся так все ниже и ниже. В исходное положение возвращаемся в обратном порядке: движение начинает поясничный отдел позвоночника и т. д.

3. *Прогиб стоя*. Ноги — на ширине плеч, кулаки — в области почек, локти стараемся максимально свести. Как только кулаки упрутся в поясницу, начинаем постепенно отклоняться назад. Сначала идет голова, затем поэтапно — спина. Ваше тело представляет собой дужку весов, где линия «локоть — кулак» — ось равновесия. Голова и спина — одна сторона дужки, нижняя часть туловища и ноги — другая. Прогибаясь всем телом и не удерживая дыхания, тянем затылок к пяткам. Ощутив, что дальнейший прогиб невозможен, приступаем к основному процессу: делаем поступательные движения (8–10 раз) с целью отвоевать лишние сантиметры. Упражнение выполняем дважды, не сгибая коленей.

4. *Фронтальный наклон сидя*. Наша задача — коснуться носом коленей. Руки лежат вдоль бедер, начинаем наклон. Дойдя до предела, как обычно, добавляем усилие, чтобы захватить сантиметр-другой. Делаем 3 наклона — к правому колену, к полу между коленями, к левому колену, совершая по 8–10 движений. Не смущайтесь, если цель

поначалу покажется вам недостижимой. Когда станем касаться коленей свободно, попробуем «клюнуть» коврик.

5. *Наклоны назад с поднятыми руками.* Работаем стоя. Ноги на ширине плеч, руки над головой, пальцы в замок. Дышим свободно. Тренируем весь позвоночник. Не сгибая коленей, начинаем отклоняться назад. Дойдя до предела, добавляем усилие. Внимание концентрируем на позвоночнике. Делаем 8—10 движений. Упражнение выполняем дважды.

6. *Боковые наклоны.* Одна рука идет вверх, продолжая позвоночник, другая — вниз, стремясь ухватить пятку. Наклоняемся в произвольную сторону все ниже и ниже. Добавляем усилия, растягивая позвоночник в поясничном отделе. Аналогично проделываем противоположный наклон.

7. *«Осмотр пяток».* Обернувшись через левое плечо и чуть прогнувшись назад, начинайте поступательные движения, стремясь осмотреть правую пятку с наружной стороны. Ноги неподвижны. Аналогичным образом «производим осмотр» левой пятки. Все внимание — на позвоночник! Делаем два поворота в каждую сторону (по 15 движений). Дышим свободно.

8. *Наклоны с поворотами плеч.* Работаем сидя, ноги разведены. Ладони лежат на груди. Наклоняемся вперед, стараясь правым плечом достать правое колено (10 раз), затем левым плечом — левое колено. Затем — прямой наклон, когда к полу идут оба плеча. Плечи старайтесь поворачивать максимально. Со временем пытайтесь «коснуться» коленей спиной. Сильно не напрягайтесь. Аналогичным образом выполняем упражнение для варианта, когда плечи стремятся к пальцам ног.

9. *Скрутки.* Выполняются аналогично вышеописанным, но в работе участвует весь позвоночник. Работаем как по часовой стрелке, так и против нее. *Вертикальная простая.* Уводим взгляд в сторону. Следом — голову, шею, плечи, весь позвоночник. Таз, ноги и стопы — неподвижны. Кисти рук на предплечьях. Колени слегка пружинят. Несколько добавляем усилия. *С наклоном вперед.* Спина прямая, голову не вскидываем, чтобы не деформировать ось позвоночника. Ноги шире плеч, лопатки чуть сводим, локти слегка уходят назад. *С наклоном назад.* Приняли положение «мостик» и «закрутились». Сначала в одну сторону, затем — в другую. *Боковая простая.* Наклонились вправо и «закрутились» вправо. Аналогично делаем левую скрутку. Взгляд идет вниз и назад. *Боковая обратная.* Наклонились вправо, а «закрутились» влево. Взгляд скользит к потолку и дальше назад.

После работы с каждым отделом позвоночника расслабляемся, делая дыхательные упражнения. Прямые руки (раз-два) на вдохе подняли вверх, опустили (три-четыре) с задержкой дыхания. Снова подняли руки (раз-два) — выдох, опустили (три-четыре) — выдох закончен. Проделали все это 3—5 раз.

Небесполезное напоминание: тренироваться следует с удовольствием, любуясь собой.

Упражнения для суставов рук и ног

Руки

1. *Кисти:*

   а) сжать-разжать (несколько раз, быстро);

   б) повращать в обе стороны в лучезапястном суставе;

   в) кисти (вскинутые с выпрямленными пальцами) сгибаются вправо-влево, вперед-назад.

2. *Локтевые суставы* («Арлекин»). Плечи и плечевые суставы неподвижны, руки свисают. Локти свободно (как на шарнирах) совершают колебательные движения.

3. *Плечевые суставы* («Пропеллер»). Рука свободно опущена, затем начинаем ее вращать в фронтальной плоскости перед собой (вы — самолет, рука — ваш пропеллер). Ускоряем темп до появления чувства тяжести (особенно в кисти). Торс чуть подается вперед, чтобы не задевать грудь. Тренируем поочередно оба плеча. Каждую руку вращаем по часовой стрелке, затем — в обратную сторону.

Ноги

1. *Стопы:*

   а) тянем носок (на себя и от себя), совершая небольшие поступательные движения;

   б) топчемся, переминаясь с ноги на ногу:

   ○ на наружных боковинах стоп;

   ○ на внутренних боковинах стоп;

   ○ на пальцах;

   ○ на пятках;

   в) поочередно каждой стопой совершаем вращательные (в обе стороны) движения.

2. *Коленные суставы* (работаем стоя, плечи прямые):

   а) колени совершают круговые движения, сначала — вовнутрь, затем — наружу (кисти рук расположены на коленях и как бы помогают движениям);

   б) ноги сгибаются и разгибаются (как бы пружиня).

3. *Тазобедренные суставы:*

   а) отводим ногу в сторону (примерно на 90°) и делаем легкое колебательное движение, стремясь увеличить угол;

   б) ходим на выпрямленных ногах, опираясь на всю стопу и работая только тазом.

Дыхательная медитативная гимнастика

После освоения азов физической подготовки тела к восприятию основных положений методики нам следует овладеть способностью приводить себя в особый душевный настрой, необходимый для дальнейшей успешной работы.

Слово медитация (в переводе с латинского — размышление) ныне трактуется как состояние углубленной сосредоточенности. Этого состояния можно достичь, расслабив тело, успокоив эмоции и отрешившись от внешних воздействий.

На мой взгляд, это определение суховато. Более образной представляется следующая сентенция.

Что такое молитва? Это когда мы говорим, а Господь слушает.

Что такое медитация? Это когда мы слушаем, а говорит Господь.

Внимать словам Господа следует в тишине и покое, с умиротворенной или, иными словами, исполненной счастья душой. Что для этого требуется? «Я — рожден, и уже одного этого достаточно, чтобы быть счастливым!» — сказал Альберт Эйнштейн. Пусть эта мысль послужит вам маяком, указующим верный путь.

Теперь перейдем к занятию.

Усаживайтесь поудобней, лучше всего на стул. Глаза закрыты, спина ровная, ноги полусогнуты, руки на коленях. (Никаких «нога на ногу», это будет мешать.) Тело должно быть приятно расслабленным. Для этого поочередно напрягаем и расслабляем все группы мышц (бедер, голеней, предплечий, плеч, спины). Особое внимание уделяем мимической мускулатуре лица и мышцам глазных яблок. Убедимся, что ресницы у нас не подрагивают. Основной признак недостаточной расслабленности — напряжение век и некоторая нахмуренность (напряженность мышц лба).

Язык не должен касаться стенок полости рта.

Теперь постарайтесь направить все помыслы на установку свободного ровного дыхания. Не надо его искусственно замедлять или пытаться выровнять каким-либо иным способом. Просто хорошенько вдохните, выдохните, затем спокойно дышите, ни о чем не думая, не спеша. Примерно 6 секунд на вдох и 6 на выдох, с двухсекундной паузой между ними — вот норма, к которой вы рано или поздно придете, но пока просто дышите, не считая секунд. Успокоив дыхание, прислушайтесь к сердцебиению. Оно тоже сделалось ровным. Это произошло рефлекторно, сработала внутренняя автокоррекция, наша воля тут ни при чем.

Расслабив тело и успокоив дыхание, уделите внимание мозгу. Если в нем вертятся посторонние мысли, приступайте к уборке — их не должно быть. Представьте себе круг или квадрат и каждую залетную мысль выталкивайте туда, как в мусорную корзину, одну за другой, пока территория не будет абсолютно чиста.

Если вы чувствуете, что все-таки не удается сосредоточиться, проконтролируйте дыхание. Глаза закрыты, тело расслаблено, во время вдоха мысленно произносите «в-д-о-о-х», во время выдоха — «в-ы-д-о-х». Направьте все внимание на то, чем вы сейчас заняты, следите за движением воздуха внутри вас.

Если тело расслаблено, дыхание спокойно, а голова свободна от дум, сосредоточьте внимание на том, как воздух проходит через ваш нос. С каждым вдохом носоглотку омывает прохлада, каждый выдох приносит тепло. Мы настолько свыклись с этими ощущениями, что в повседневности просто перестали их замечать. Ваша задача — выделить эти ощущения и сделать их ярче.

Дальше попробуйте ощутить, как прохлада спускается ниже — на уровень щитовидной железы, — а тепло поднимается вверх. Наложите мысленно носоглотку на щитовидку, представьте, что дыхание осуществляется именно там. Прохладно — тепло, прохладно — тепло... Получите свою законную долю чистого удовольствия от того, как замечательно дышит ваша щитовидная железа. А теперь перенесите дыхание в область солнечного сплетения. Пусть спокойно и безмятежно подышит и оно.

Следующий этап. Руки, лежащие на коленях, поверните ладонями вверх. Подышите через ладони, ощущая с каждым вдохом прохладу, а с выдохом — тепло. Потом попробуйте подышать через стопы.

Затем произвольно наделите дыханием какой-либо свой не очень здоровый орган (только не в области сердца или головы). Обласкайте его внутренним взором, поделитесь с ним своим настроением.

В перспективе вам надлежит (не сию секунду, а постепенно, мало-помалу) вызвать из глубин своего существа радостный образ молодости и никогда с ним более не расставаться.

Вспомните запах морского ветра, лесной чащи или сада после дождя (или представьте что-то свое, что снимает усталость и будит надежды). Не давайте этому ощущению угаснуть, и оно через короткое время окрепнет и озарит всю вашу жизнь.

А пока «побродите» по своему телу, с уважением и приязнью оглядывая его непростое устройство. Вы — совершенное творение природы, вы молоды и здоровы, и также совершенен и молод в любой своей части ваш организм. Делайте обход не спеша, не напрягаясь: вы здесь не гость, а хозяин. Вам решать, что тут нужно поправить и где навести блеск и красоту.

Не раздражайтесь и не ругайте себя, если на первых порах что-то не будет ладиться, и, главное (повторю еще раз), не напрягайтесь. Что сейчас не вышло, получится завтра, все замечательно, вы на верном пути. Даже небольшому суденышку, меняющему курс, требуется время, чтобы погасить инерцию, а вы не какая-то там скорлупка, вы большой пароход.

Теперь перечислим, что нами пройдено (в первом, разумеется, приближении).

1. Аутомануальный комплекс (массаж биологически активных точек головы).
2. Упражнения для позвоночника.
3. Упражнения для суставов рук и ног.
4. Дыхательная медитативная гимнастика.

Если вы освоите эту программу в один день, нет вам цены. Если на нее уйдет 2–3 дня — это тоже весьма и весьма неплохо.

Урок третий

1. Разминка:
   - аутомануальный комплекс (массаж биологически активных точек головы);
   - упражнения для позвоночника;
   - упражнения для суставов рук и ног.

2. Дыхательная медитативная гимнастика.

3. Тренировка образного мышления.

4. Работа с **Т**-, **П**- и **Х**-ощущениями (тепло, покалывание, холод).

5. Работа с эмоциями (начальный этап).

Помимо прочих интересных вещей, которыми мы займемся на этом уроке, перед нами стоит задача научиться произвольно вызывать в себе ключевые ощущения — тепла, покалывания и холода, что невозможно без наличия генерального ощущения — веры в себя.

Урок начинаем с аутомануального комплекса, затем тренируем позвоночник, потом суставы, потом переходим к дыхательной медитативной гимнастике. Все последующие занятия также должны обязательно предваряться такой разминкой.

Тренировка образного мышления [1]

Вам предлагается детально и как можно ярче представить перечисленные ниже позиции. Работаем с удовольствием, закрыв глаза, сосредоточившись и не отвлекаясь ни на что постороннее.

Зрительный ряд:

- авторучка медленно выводит на бумаге ваше имя;
- авторучка рисует окружность, треугольник, квадрат;
- снова окружность, круг, который превращается в шар — сначала светло-серый, потом он стано-

---

[1] Основой для нижеизложенной тренировки служат извлечения из книги Роберто Асаджама «Психосинтез. Теория и практика. От душевного кризиса — к высшему Я». — Refl-Book, 1994.

вится белым, розовеет, становится оранжевым, сияющим, похожим на солнце;

- перед вами любимый цветок, рассмотрите его хорошенько;
- представьте людей, которых вы любите.

Осязательный ряд:

- вы поглаживаете кошку или собаку — ощутите их шерсть;
- вы пожимаете чью-то руку — ощутите пожатие;
- вы прикасаетесь:

  к первому снегу,

  к вашему любимому цветку, вы боитесь его помять,

  к коре дерева,

  к струе воды.

Постарайтесь не только мысленно ощутить прикосновение, но и увидеть то, к чему прикасаетесь. Повторите упражнение.

Обонятельный ряд:

- вы вдыхаете запах:

  ваших любимых духов,

  бензина,

  вашего любимого цветка,

  воздуха в сосновом лесу,

  дыма костра,

  моря.

Динамический ряд (мысленно представляем движения своего тела):

- вы ведете машину;
- занимаетесь любимыми видами спорта (плавание, футбол и т. д.);
- идете, потом бежите по пляжу вдоль линии прибоя (мысленно представляем каждое движение своих мышц).

Вкусовой ряд:
* вы едите банан;
* пьете кислое молоко;
* вы смакуете любимое блюдо, запивая его любимым вином (мысленно ощутите не только вкус, но и плотность пищи или напитка).

Слуховой ряд (глаза обязательно закрыты):
* вы слышите:

шум транспорта,

шум дождя,

голоса играющих детей,

шум волны, набегающей на берег,

звон колокола, медленно растворяющийся в безмолвии.

Тренировку проводим не напрягаясь. Все, с чем мы работаем, приятно нам и знакомо. Фокусируем внимание лишь на «объекте» задания, не позволяя мысли «растекаться по древу». Закончив работу, анализируем, что у нас получилось, что — нет. С тем, что не задается с первого раза, работаем дополнительно.

Тут важно понять, что в организме тренируется все то, чем редко или неумело пользуются, что функционирует ниже своих возможностей. Этот принцип распространяется на все звенья, органы и системы нашего тела.

Работа с Т-, П- и Х-ощущениями (тепло, покалывание, холод)

Работу строим поэтапно, точно так же, как она ведется на занятиях. Постарайтесь следовать установленному порядку, ничего не пропускайте и не меняйте по собственной прихоти. Не переходите к следующему упражнению, пока не освоите предыдущее. Не спешите. Если в один день не уложитесь, посвятите тренировкам второй день, но не более.

Когда ученик после прилежной работы жалуется, что у него ничего не выходит, причиной тому могут служить две вещи. Либо он чересчур завышает планку, ожидая более ярких, чем им следует быть, ощущений, либо чересчур напрягается, насилуя свой организм. Работайте с чувством внутренней легкости, как бы играя, и помните: если работа строится правильно, улучшение все равно наступает. Даже если оно не очень заметно на первый взгляд.

Главное, *не настаивайте на своем, а просите ваш организм вам помочь,* когда вызываете нужный вам образ, и, словно настраиваясь на волну, плавно поворачивайте ручку настройки.

1. Тепло (Т)

Закрываем глаза, полностью расслабляемся. Выбираем произвольно любой участок тела (кроме области сердца и головного мозга). Представляем, что этот участок начинает разогреваться. То ли вы валяетесь на пляже, в тени, подставив жгучему солнцу лишь это местечко, то ли прислонились к печке в охотничьем домике, а может быть, сидите у камина, повернувшись к нему одним боком.

Каждый представляет то, что ему более приятно и знакомо. Проделайте упражнение несколько раз. Не спешите. Не понукайте себя, а со всей деликатностью просите организм вам помочь.

Когда ощущение появится, вскользь прикиньте, за какое время удалось добиться успеха. Если это вас отвлекает и уводит от главного, оставьте это дело, сосредоточьтесь на том, чтобы чуть-чуть «навести резкость» на *образ тепла.*

2. Покалывание (П)

Работа, аналогичная работе с **Т**-ощущением. Закрываем глаза, расслабляемся, представляем, что «отсидели» какой-то участок тела и теперь по нему бегают мурашки, может быть, это место обрабатывают тысячи мелких иголочек или там ощущается легкий озноб. Найдите образ покалывания, который вам ближе.

Повторите упражнение несколько раз. Работайте не спеша, с удовольствием, не забывайте себя хвалить. Даже если ощущение «еле-еле проклевывается», это уже успех. А для вас, возможно, и норма.

3. Холод (Х)

Работаем так же, как с предыдущими вариантами. Глаза закрыты, тело расслаблено, участок тела (кроме областей сердца и головы) избираем любой. Можно тот же, где вы работали с **Т** или **П**.

Налетел прохладный ветерок, а это местечко у вас ничем не прикрыто, или оно все еще влажное после купания, или вы к нему приложили кусочек льда. Не правда ли, ощущение острое и бодрящее? Найдите образ холода, который вам больше приятен.

Есть еще один эффективный способ вызвать достаточно яркие ощущения холода и тепла, пользуясь положениями дыхательной медитативной гимнастики. Представьте, что прохлада вдыхаемого воздуха проходит через участок, который вам хочется охладить, или что его согревает тепло вашего выдоха.

Иногда ученикам сразу удается вызвать в себе комплексные ощущения тепла и покалывания (**Т + П**) или холода и покалывания (**Х + П**). Очень хорошо, не пытайтесь их разделить. Эти навыки пригодятся вам в будущем.

Работа с эмоциями (начальный этап)

Эмоции, как мы уже говорили, сильно влияют на внутреннее состояние и как следствие — на внешний облик. Следовательно, нужно научиться нашими эмоциями управлять. Как это сделать? На данном этапе — с помощью обратной связи.

Если эмоции влияют на внешний облик, значит, и внешний облик должен влиять на них, и актеры об этом прекрасно знают. Войти в нужный образ им помогают совсем нехитрые вещи.

Превратимся в актеров. Попробуем сыграть роль несчастного человека. Играем честно, без предвзятости, расслабившись и освободив мозг.

Ну-ка, ссутультесь, сгорбьтесь, безвольно опустив руки! Теперь примерьте на лицо маску горя. Уголки рта опущены, брови сведены скорбью. Побудьте какое-то время в таком положении, прислушиваясь к себе. Рассмотрите мысли, которые приходят вам на ум. Наверняка это что-нибудь неприятное — воспоминания о застарелых обидах, поражениях и просчетах. А ведь только что вы и думать не думали об этих вещах. Вас подтолкнула к ним ваша поза и мимика. В подсознании начался негативный процесс.

А теперь выпрямитесь, вскиньте голову и расправьте плечи. Глубоко, с облегчением вздохните, словно только что сбросили тяжкий груз. Что же дальше? Я вижу, вы уже улыбаетесь. Наверное, вспоминается что-то приятное, на душе становится радостно и легко. К этой радостной легкости, уверен, подтолкнули вас ваша осанка и поза.

Усложним упражнение. Снова войдите в роль несчастного бедолаги. Ссутультесь, опустите голову, глубоко и судорожно вздохните несколько раз. Вы, кажется, всхлипнули, а на глаза навернулись невольные слезы? Не сдерживайте их. Вспоминайте, вспоминайте самые горькие разочарования и потери. Дайте дорогу тому, что вы старались загнать в дальние глубины сознания. Плачьте, плачьте, это не стыдно, со слезами уходят обиды! Раскрепоститесь полностью! Вспомните детство! Попробуйте зарыдать, как ребенок, безутешно и глубоко!

И хватит на том. Остановитесь. Вспомните, как быстро просыхают детские слезы. Распрямитесь, расправьте плечи. Сделайте своему прошлому ручкой — вы навек распростились с ним. Глубоко вздохните. Улыбнитесь будущему. Вы спокойны, все хорошо.

А теперь попробуйте засмеяться. Пусть смех поначалу будет немного деланным. Смейтесь-смейтесь. Вспомните какой-нибудь уморительный случай. И другой! И третий! Вам не придется шарить в памяти, она сама вам будет подкидывать их. Смейтесь вслух, не сдерживайтесь, это тоже не стыдно. Хохочите, как в детстве, — беззаботно и от души!

И вновь резко перейдите к покою.

Такие резкие переходы от одного сильного чувства к противоположному я называю принципом маятника. С этим понятием вам не раз придется столкнуться в будущей работе.

А на сегодня — достаточно. Отложите книгу, не пытаясь заглянуть на следующие страницы. Отдыхайте, настраиваясь на завтрашний день. Он тоже сулит много нового и интересного, а предвкушение чего-то хорошего уже благотворно само по себе.

Урок четвертый

1. Разминка:
   - аутомануальный комплекс (массаж биологически активных точек головы);
   - упражнения для позвоночника;
   - упражнения для суставов рук и ног.

2. Дыхательная медитативная гимнастика.

3. Тренировка эмоций (принцип маятника). Созидание образа молодости.

4. Работа с **Т**-, **П**- и **Х**-ощущениями. Достижение приемлемой яркости (перенагревание и переохлаждение запрещены).

5. Вызов комплексных ощущений (**Т + П**, **Х + П**) в заданных областях и органах тела:
   - а) в нижней части тела (до пупка);
   - б) в позвоночнике;
   - в) в руках и плечевом поясе;
   - г) в печени и почках (запуск очистительного механизма).

Основной задачей является восстановление биологической молодости нашего организма. Исцеление застарелых недугов — задача попутная, но не менее важная, и путь к ее разрешению следует разбить на этапы. Постараемся понять, почему.

Страждущий мечтает об исцелении, но болезнь все продолжает и продолжает его мучить. Что же мешает страдальцу избавиться от нее? Перечислим некоторые причины.

Во-первых — весь опыт прошлых разочарований, горечь воспоминаний о неудачных попытках искоренить недуг.

Во-вторых — желание разделаться со своими страданиями одним махом, т. е. «взять крепость с наскока».

В-третьих — неправильный образ жизни.

Этот список, как вы понимаете, далеко не окончателен. Его можно растянуть на всю эту книгу и еще кое-что приписать.

Но мы не станем заниматься такой неблагодарной работой. Посмотрим лучше, какую стратегию в борьбе с болезнью предлагают восточные врачеватели. Возьмем случай заболевания печени. Почему печень болит? Потому что ее забивают ядовитые шлаки. Пусть она кое-как справляется с ними, но у нее не остается сил и времени на себя. К тому же ваш нездоровый кишечник не оказывает ей никакой поддержки, яд путешествует по организму, поражая другие органы, например почки, и почки тоже отказываются печени помогать. Недуг растет, как снежный ком, захватывая все новые и новые органы, все более ослабляя способность организма к сопротивлению.

Что говорит по этому поводу восточная медицина? Она говорит: начинай с малого, к дальней цели двигайся постепенно. Не лечи печень, не успокаивай ее боль снадобьями, а устрани то, что мешает ей жить. Во-первых, «сними тяжесть с ее плеч», изгони вредные шлаки из организма, дай печени хоть немного вздохнуть. Во-вторых, «утихомирь бунтующего соседа». Приведи кишечник в порядок, пусть сам решает свои проблемы, а не вешает их на других. В-третьих... Поговорим и о том, что в-третьих, но... чуточку позже.

На земле, наверное, нет человека, который не побывал бы в горах. Но отнюдь не каждый из людей, там побывавших, может похвастать, что одолел хотя бы одну из горных громад.

Путь к вершинам пугает многих, особенно новичков — им любая скала кажется неприступной. Но человек бывалый знает, как победить этот страх. Он говорит себе: сначала добреду до того камня. Потихонечку-полегонечку, чтобы не терять сил, а там осмотрюсь и решу, как поступить дальше. Путь «до того камня» не очень велик и совершенно не страшен. Человек, взобравшись на камень, говорит: ну что же, вот я и здесь. И ничего ужасного со мной не случилось. Вскарабкаюсь, пожалуй, вон к тому эдельвейсу. Сказано — сделано. Выбрались из ущелья, а эдельвейс красив. Человек отдыхает, любуясь и цветком, и открывшейся панорамой. Ноги его вроде бы попривыкли к ходьбе по кручам, теперь надо бы дохромать до приветливой зеленой лужайки. На сердце у человека спокойно, прежний страх куда-то исчез.

Он думает: дойду — хорошо, а не дойду — тоже неплохо. Но в глубине души он уже знает, что, безусловно, дойдет. И не только дойдет, а непременно будет двигаться все дальше и дальше, пока не доберется до самой высокой точки горы. А там — как знать? — может быть, откроются новые горизонты.

Болезнь — гора. Исцеление — путь к вершине из темных ущелий, наполненных страхом. Путь обязательно поэтапный, чтобы человеку было легче шагать, а цель не казалась недостижимой. Чтобы он шел от вехи к вехе в хорошем настрое, храня олимпийское спокойствие, а тем временем в глубинах его души разгоралась уверенность в непременном успехе. О внезапном приходе этой уверенности, вдруг заливающей внутренним светом все существо исцеляющегося, говорят практически все наши ученики. Еще они говорят, что именно это внутреннее свечение помогло им выбраться из беды.

Но... вернемся к нашей больной печени и подумаем, чем ей можно помочь. Попробуем дойти до вершины той самой горы, где в хрустальном ларце хранится ее исцеление. Перво-наперво прикинем «километраж» и, не смущаясь расстоянием, разобьем с виду непроходимую дистанцию на легкопроходимые отрезки.

1. Прежде всего переберем в памяти основные положения нашей методики. Вы уже убедились, что ее освоение не требует от вас ничего сверхъестественного. Справиться с этим может даже ребенок. Собственно говоря, приступая к общему комплексу тренировочных упражнений, вам и следует уподобиться ребенку с любознательными глазами, добрым сердцем и чистой душой.

2. Теперь займемся шлаками, угнетающими не только печень, но и весь организм. Запускаем очисти-

тельный механизм (мы еще не знаем, как это делается, но скоро узнаем).

Пых-пых-пых! — механизм заработал, лента конвейера потащила в отвал мусор, а по нашему телу заструилась чистая кровь. Все органы приободрились и хором сказали: «Спасибо!» — им стало значительно легче дышать. А самочувствие тут же улучшилось, мы тоже дошли до эдельвейса и теперь можем спокойно полюбоваться горным цветком.

3. Попривыкнув к новому состоянию, оглядим, каким органом можно заняться, чтобы не очень долго возиться и без лишних хлопот подняться на новую высоту. Вот он, рядом — вечно какой-то кислый, расстроенный, но очень отзывчивый, если его приласкать. Угадали, что это за орган? Ну да, конечно, кишечник. У нас есть целый ворох очень простых и очень эффективных упражнений (мы о них тоже скоро узнаем), способных быстренько привести его в спортивную форму. Не мешкая приступаем к работе. Ну вот, кажется, дело пошло на лад. Расстройство прошло, кишечник функционирует как часы и кричит через забор соседям: не надо ли вам помочь? Разумеется, помощь охотно принимается. Взята еще одна высота.

4. Следующая проблема — накормить голодающих. То есть ввести в строй дополнительные каналы, питающие наши органы кровью. Это капилляры (или наше второе сердце). Их у нас тьма-тьмущая, но в работе сейчас только 10 %. Делаем специальные упражнения с Т-, П- и Х-ощущениями, и вот — вся армада мельчайших сосудов зашевелилась, очнулась, потащила пищу во все концы организма, а компьютер, находящийся у нас в голове, стал лучше считывать информацию, идущую с периферии. И соответственно приказы главнокомандующего сделались более вразумительными. Наш мозг

обрел возможность лучше координировать работу своих подопечных.

5. Ситуация «лебедь, рак и щука» потихоньку сошла на нет. Наши органы поздоровели, приосанились и теперь тянут упряжку дружно и слаженно, помогая друг другу. Чем бы нам заняться еще? А вот чем. Время идет, человек живет и в процессе своей деятельности не всегда успевает увернуться от колющих, пилящих или больно стукающих предметов. На теле его остаются рубцы и шрамы, да и на внутренних органах имеются следы разрушений, которые не видны. Шрамы — это не очень красиво, и потом... они старят. Попробуем ликвидировать их. У нас на то есть замечательная программа (мы позже детально ее разберем). Выбираем самую надоевшую «метку» и работаем с ней.

Через несколько дней «метка» исчезнет, а вслед за ней начнут исчезать и другие шрамы — как наружные, так и внутренние, что очень нас освежит. Кстати, а что же там с печенью? Мы, завозившись, кажется, о ней совсем позабыли? Наша печень помалкивает в тряпочку. Ей хорошо, она нормально функционирует и набирает запас прочности, так о чем тут говорить?

6. Набрать запас прочности — наш последний отрезок на пути к биологической молодости. Мы этим запасом уже обладали — в 8—10-кратном размере, но умудрились его растерять. Задумайтесь, сколько вреда надо нанести своего организму, чтобы пробить бреши в такой защите! Постоянные упражнения и тренировки начинают сказываться все ярче и ярче. Наше тело все охотней отзывается на наши желания и устремления. Оно, собственно говоря, само знает, что делать, его лишь следует настроить на нужную волну.

Процесс оздоровления сходен также с капитальным ремонтом дома. Сначала мы прикидываем объем работы, потом запасаемся необходимыми материалами, потом рушим старую штукатурку, сдираем старую краску, циклюем полы, потом выгребаем мусор, шпаклюем трещины, заменяем гнилые доски и лишь после всего этого приступаем к побелке, покраске и поклейке обоев. Одно следует за другим, и менять порядок работы нельзя, иначе никакого ремонта не выйдет, а лишь усугубится развал. Вот почему так важно *поэтапное* продвижение к успеху.

На первом уроке мы договорились разбить работу на три этапа. Поговорим о них.

I этап — освоение методики, запуск очистительного механизма.

Это, как уже отмечалось, подготовительный этап, но для нас — самый важный. Мы закладываем фундамент будущего успеха. С чего начать?

Перво-наперво забудьте о диагнозе, который был вам когда-то поставлен. Потому что болит не какой-то орган, это рушится весь дом. Почему? Потому что вы относились к нему, как квартирант, и плохо за ним следили. Запомните, любой ваш недуг — это приспособление организма к тем условиям, в которые он вами поставлен! Не меняйте одно снадобье на другое, чтобы исцелить тело, меняйте свое отношение к нему.

Мы знаем, что тело — великолепный работник, но оно к тому же и послушный работник. Физически оно подчиняется разуму, физиологически — подсознанию; куда ему деться, если разум битком набит ложными представлениями, а подсознание одолевают уныние и разлад? Сложившуюся ситуацию можно выправить лишь одним способом, а именно — проявить волю, то есть сознательно и методично начать избавляться от всего, что мешает душе и телу обрести естественное единство. Нам следует отринуть ложные установки и с помощью физических и медитативных упражнений вернуть телу былую способность к самовосстановлению и пробудить спящие силы души.

«Сохрани зеленое дерево в сердце своем, и однажды певчая птица совьет там гнездо», — гласит китайская пословица.

Зеленое дерево суть образ здоровья, который мы должны прилежно и кропотливо формировать в глубинах нашего существа, и птица неувядающей молодости не замедлит поселиться в его кроне. Поможет в этом тренировка эмоций и работа с ключевыми ощущениями (Т, П, Х). Планируйте занятия исходя из реальных возможностей, но при этом чуть завышая планку. Преодолевайте малые дистанции — одну за одной.

По каким признакам можно понять, что первый этап закончен?

Можно считать, что он полностью завершен, когда начнут исчезать шрамы. Иногда это происходит самопроизвольно — верный признак того, что вы избрали правильный путь.

II этап — освоение основных упражнений.

Начало выздоровления с последующим лавинообразным процессом улучшения самочувствия и практического исцеления всех органов тела.

Тут важно верным курсом вести свою лодку и помнить, что ваш организм послушно выполняет программу, которую вы ему задали. Любые изменения в этой программе ведут к сбоям, после которых вам вновь придется начинать с самых азов. Внимательно следите за своим эмоциональным и внутренним состоянием, не давайте организму неверных команд.

Нижеприведенная таблица, составленная на основе статистических данных, поможет сориентироваться, как идут ваши дела. Если программа задана верно, процессы улучшения зрения и слуха вкупе с процессом ликвидации шрамов должны проходить приблизительно так, как это показано в табл. 1.

Таблица 1

Уроки	Улучшение зрения и слуха (в % к исходным данным)	Исчезновение шрама (в % к исходным данным)
Третий	10–15	пробная работа
Четвертый	10–20	начало исчезновения
Пятый	20–30	10–20
Шестой	30–50	20–40
Седьмой	40–60	30–60
Восьмой	50–70	60–80–100
Девятый	60–80	70–100
Десятый	50–70	70–100 (остается лишь черточка)

Второй этап плавно перетекает в третий.

III этап — закрепление достигнутого и начало биологического омоложения.

Колесо запущено и хорошо раскручено. Теперь оно может долго вращаться без вашей помощи (чем лучше смазаны и подогнаны детали, тем дольше). Но... вечных двигателей в природе нет. Не забывайте «добавлять оборотов» в механику вашего здоровья.

Регулярно проделывайте профилактическую разминку, работайте по мере надобности с ключевыми ощущениями, а главное — не теряйте бодрости духа и желания оставаться в новоприобретенном состоянии неувядающей молодости. Это состояние не зависит ни от возраста, ни от каких-либо внешних условий, оно зависит только от вас.

Теперь, после столь обширной, но необходимой преамбулы, перейдем непосредственно к уроку. Сегодня у нас большая программа.

Вначале с присущим нам прилежанием проведем разминку вкупе с дыхательной медитативной гимнастикой. Ее позиции вы должны уже помнить, так что не будем их перечислять.

Затем повторим упражнения по тренировке эмоций, которые мы изучали на прошлом уроке, и приступим к освоению основных упражнений.

После этого те, кто в том нуждается, займутся улучшением своего зрения (или слуха), а дамам предстоит знакомство с медитативным аутомассажем матки. Пояснения к этим занятиям находятся во второй половине книги.

Основные упражнения (работа с Т-, П-, Х-ощущениями)

На прошлом уроке вы научились произвольно вызывать в себе ощущения тепла, покалывания, холода (**Т, П, Х**). Не правда ли, это добавило вам уверенности в себе? Помимо того, заниматься такими вещами — одно удовольствие. Давайте настроимся на эту волну и сейчас.

Начнем учиться вызывать эти ощущения в заданных частях нашего тела (рис. 6).

Нижняя часть тела (до пупка)

Вызываем образ тепла. Мы на солнечном пляже, но наш торс укрывается под большим грибком или зонтом, или наслаждаемся покоем, сидя в горячей ванне... Отыщите свой предметный образ тепла, из которого вам легче всего вычленить чистое **Т**-ощущение. Не понуждайте себя, не напрягайтесь. Работайте с легкой ленцой, словно это ваш мимолетный каприз или прихоть. Ощущение удерживаем 30 секунд, повторяем упражнение трижды.

Также трижды вызываем и удерживаем в заданной области (по 30 секунд) **П**-ощущение, потом — **Х**.

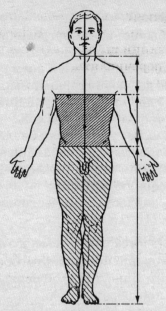

Рис. 6. Вызов ощущений **Т**, **П** и **Х** в заданных частях тела

Работаем с удовольствием. Вы вошли в прохладную воду по пояс и раздумали идти дальше. Вышли на берег, а тут налетел ветерок...

Если у вас вызываются ощущения комплексные — **Т + П** или **Х + П**, поздравьте себя, вы справляетесь с заданием в рекордно короткие сроки.

Позвоночник

Начинаем с тепла. Представьте, что ваш позвоночный столб прогревается изнутри, словно тепло движется по нему сверху — от позвонка к позвонку, до самого копчика — и поднимается обратно. Ширина прогревания 10–15 сантиметров. Время удерживания ощущения — 30 секунд.

Аналогично работаем с покалыванием, затем — с холодом. Не забывайте, что ощущение **П** следует вызывать только между **Т** и **Х** или добавлять его к ним.

Руки и плечевой пояс

Первым, как обычно, идет прогревание. Равномерно наполняем теплом этот объем тела, не заботясь о том, что в нем расположено, но ни в коем случае не опускаем ощущение до уровня сердца, мысленно обходим его стороной. Удерживаем ощущение **Т** 30 секунд. Затем аналогично работаем с **П** и **Х**.

Напоминание. Все упражнения делаем с закрытыми глазами, полностью расслабившись. Посторонние мысли выталкиваем в воображаемый квадрат или круг, как в мусорную корзину.

Мы хорошо поработали и честно заслужили маленький отдых (10—15 минут).

Печень и почки (запуск очистительного механизма)

Прежде всего хорошо представьте себе, где расположены эти органы (рис. 7 и 8). В первый день мы будем их только прогревать.

Начнем с печени. Мысленно прогреваем область правого подреберья так, чтобы из глубины ее пошло ласковое, приятное, целебное тепло. Удерживаем это ощущение до 30—40 секунд, затем отпускаем. Повторяем упражнение 2—3 раза.

Точно так же прогреем почки. Мысленно представим, где они расположены, и все свое внимание, заботу, любовь и нежность направим туда. Как будто мы обихаживаем ребенка. Никто не сумеет приласкать малыша лучше, чем мы.

Удерживаем тепло до 30—40 секунд, затем отпускаем. Упражнение повторяем 2—3 раза.

Этот урок — самый трудный в нашей программе. Поэтому, работая с предлагаемыми позициями, не спешите. Лучше пройдите их не в один день (кое-как), а в два или в три. Упражняйтесь с душой, не торопясь, не нервничая, не напрягаясь, а тем более не перенапрягаясь и переутомляясь.

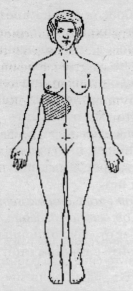 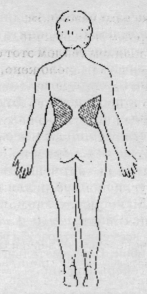

Рис. 7. Вызов ощущений **Т, П** и **Х** в печени

Рис. 8. Вызов ощущений **Т, П** и **Х** в почках

В конце каждого дня семинарских занятий учени-ком обычно даются напутствия и задания на дом. Для вас весь курс занятий — большое домашнее за-дание, и все-таки разрешите не отступать от заведен-ной традиции.

Итак, напутствия, или краткий обзор того, о чем вы должны всегда помнить.

Во-первых — о том, что вам *не следует во время занятий думать о чем-либо постороннем или ана-лизировать свои промахи.* Анализ в процессе тре-нировок всегда тормоз и причина новых ошибок, не доверяйтесь ему. Ищите верное решение интуи-тивно.

Во-вторых — о том, *что оттенки ваших ощуще-ний могут быть самыми различными,* в зависимо-сти от ваших природных особенностей, свойств харак-тера и т. д. Не ждите чересчур ярких «картинок», иногда и самый бледный «набросок» тоже вполне приемлемый вариант. Главное сохранять хорошее настроение и верить в себя. Бывает, что ощущения, которые мы вызываем, никак не дают о себе знать. Ничего страшного. Значит, ваш организм еще не готов к послушанию. Будьте с ним терпеливы, как с упрямящимся ребенком. Дайте ему отдохнуть, но на следующий день вновь пригласите к игре. Бывает, ощущения «молчат», а улучшения наступают (об этом мы уже говорили). Значит, программа запущена верно и причин для тревоги нет.

В-третьих — о том, что *автор этих строк верит в вас и рассчитывает на ваше ответное доверие*. Он сам всемерно старается уберечь вас от «традиционных» ошибок. Повнимательнее работайте с текстом книги.

Теперь задание.

1. С этого дня ведите дневник с особым тщанием, отмечая в нем все перемены в состоянии организма. Отмечайте там также все достижения (похваливайте себя). Если болезнь начнет обостряться, опишите, как это происходит.

2. Измерьте свой рост и вес. Запишите полученные данные для сравнения с контрольными замерами в конце курса.

3. Измерьте линейкой шрамы (если таковые имеются), занесите результаты в дневник. В дальнейшем ежедневно производите эти замеры и отмечайте в дневнике изменения во «внешности» следов былых травм.

4. Не забывайте контролировать состояние утренней мочи, записывать все наблюдения.

5. С этого дня те, кто нуждается в улучшении зрения, должны выполнять упражнения у окна. (Позиция «Близко-далеко». См. соответствующий раздел во второй половине книги.) Старайтесь обхо-

диться без очков. По крайней мере, не носите их дома.

6. Еще раз поработайте с ощущениями, которые вызываются хуже, чем остальные.

7. Настройтесь на завтрашний день.

Все вышесказанное только пролог к тому, что вам надлежит сделать сегодняшним вечером.

1. Мысленно переберите всю жизнь — с младенчества и до настоящих дней. Постарайтесь определить причину своего нездоровья.

2. Поразмышляйте о своем характере и привычках, об отношениях в семье, а также о ваших отношениях с людьми (как с близкими, так и не очень). Постарайтесь честно ответить себе на следующие вопросы. Что меня радует в близких и самых любимых людях? Что огорчает? Почему?

3. Перечислите в дневнике привычки и основные черты своего характера. Отметьте, от чего бы вам хотелось избавиться и что обрести? Мысленно нарисуйте свой идеальный образ.

4. Отыщите фотографию, где сами себе больше всего нравитесь (неважно, если вы там гораздо моложе). Рассмотрите ее хорошенько и держите потом в поле зрения. В дальнейшем всегда и везде мысленно представляйте свою внешность именно такой.

5. Поразмышляйте о людях, страдающих заболеванием, аналогичным вашему. Подумайте, почему некоторые из них исцелились, а вы — нет?

6. Если ваши друзья занимаются по такой же методике и у них получается что-то лучше, обязательно расспросите, как они добились успеха. Используйте их опыт, если сочтете, что он пригоден для вас.

Каждый из перечисленных выше пунктов одинаково важен.

Теперь о главном.

Именно сегодня обязательно составьте себе *реальный план выхода из нездоровья*.

Не торопите события, но и не затягивайте процесс. Прикиньте свои возможности и, с учетом всех особенностей, разбейте процесс исцеления на приемлемые этапы. Между ними (на всякий случай) оставьте зазоры в 1—2 дня.

Перед сном загляните в начало книги. Перечитайте раздел о запретах и заповедях, и... спокойной вам ночи!

Последнее напоминание. *Не переходите к следующему занятию, пока полностью не освоите программу четвертого урока.*

Урок пятый

1. Разминка:
   - аутомануальный комплекс (массаж биологически активных точек головы);
   - упражнения для позвоночника;
   - упражнения для суставов рук и ног.

2. Дыхательная медитативная гимнастика (медитация образа здоровья и молодости, устранение помех, дыхание через щитовидную железу, солнечное сплетение, ладони, стопы, нездоровый орган).

3. Тренировка эмоций.

4. Вызов ключевых ощущений (**Т, П, Х**) в заданных областях тела (ноги, позвоночник, руки и плечевой пояс).

5. Перемещение ощущений (**Т, П, Х, Т+П** и **Х+П**) в заданных областях тела (ноги, позвоночник, руки и плечевой пояс).

6. Сбор **Т**-, **П**- и **Х**-ощущений со всего тела к нездоровому органу, их концентрация и последующее рассеивание.

7. Удаление шрамов (пробная работа).

Поздравьте себя. Четвертый — самый трудный урок программы — успешно пройден. Дальнейшая работа тоже не семечки, но все же мы одолели трудный подъем и смело движемся к новым вершинам.

«Чего человек не понимает, тем он не владеет», — сказал Гете. Разберемся, что происходит, когда мы работаем с ощущениями.

Ощущения **Т** и **Х** тренируют сосуды. Образ тепла их расширяет, образ холода заставляет сужаться. Расширяя сосуды какого-то органа, мы обеспечиваем больший прилив крови к нему, и обмен веществ в нем идет интенсивней. Когда сосуды сужаются, избыток крови уходит в другие каналы, изменяя режим кровоподачи там.

Ощущение покалывания (**П**) активизирует нервные окончания. Посылая куда-нибудь образ **П**, вы проверяете «телефонную связь» вашего мозга с периферийными районами тела и заодно осуществляете ее текущий ремонт, ибо наше тело, как мы уже знаем, обладает способностью к самовосстановлению. Еще мы знаем, что каналы, которыми долго не пользуются, потихоньку выходят из строя.

Образы **Т**, **П** и **Х** словно инспектируют наш организм и подают ему знаки, что такие-то и такие ячейки его неисправны, и организм, покряхтев, принимается восстанавливать то, что пришло за ненадобностью в негодность. Капилляры подрастают и разветвляются, нервные окончания вытягиваются, и все это, безусловно, идет на пользу всему нашему телу. Мозг удивленно «почесывает» затылок и «говорит» в трубку какой-нибудь селезенке: «А я-то думал, что мои приказы до тебя никогда не дойдут. Но раз уж дошли, сделай, голубушка, то-то и то-то!» — «Есть, ваше превосходительство!» — радостно кричит селезенка и со всех ног кидается выполнять приказ.

Кровеносные сосуды и нервные волокна пронизывают все наше тело. При этом они всегда шествуют «рука об руку», и, значит, посылка комплексных ощущений (Т + П или Х + П) убивает сразу двух зайцев — активизирует нервную ткань и регулирует кроповодачу, или, иными словами, проводит внутренний медитативный аутомассаж.

Почему массаж? Потому что его воздействие очень сходно с массажем физическим. Почему «ауто»? Потому что вы его делаете сами себе. Почему медитативный? Потому что проводить его следует в состоянии медитации, внутренне сосредоточившись и всем существом настроившись на волну молодости и здоровья, генератор которой уже начинает работать в сокровенных глубинах вашей души.

Внимательно прочтите программу этого урока, чтобы правильней распределить свое время. Не каждому дано освоить ее в один день. Самостоятельно работать труднее, чем в группе, поэтому не спешите, не забегайте вперед. Работа наша будет строиться по прежнему принципу: вам предлагаются подробные инструкции по каждому пункту программы, а вы с добросовестностью и прилежанием обязуетесь их исполнять.

Сегодня, помимо всего прочего, нас ждут увлекательные упражнения по передвижке комплексных ощущений, а еще мы должны приступить к работе со шрамами. Если помните, первые признаки исчезновения шрамов знаменуют начало второго этапа нашей работы, ибо именно с этой вехи начинается наш резкий старт к молодости и здоровью. Так что мы с вами находимся в преддверии великого дня. Предвкушение радости тоже несет радость. На этой радостной ноте и перейдем к занятиям.

1. Разминка

Работаем с удовольствием, любуясь собой, и лучше — под музыку, которая вам по душе, которая поможет вызвать нужный настрой. Выбирая мелодию, помните, что она должна быть любимой, что от нее будет зависеть многое — как отдача от тренировок, так и конечный их результат.

2. Медитативная дыхательная гимнастика

Выполняем стоя (сегодня это целесообразней, чем сидя). Закрываем глаза, расслабляемся. Лишние мысли выталкиваем в мусорный круг. Настраиваемся на приятную работу. Дышим ровно, спокойно — через нос, через щитовидную железу, потом через область солнечного сплетения, через ладони, стопы, потом через то, что у нас частенько болит...

Все — в стороне, все — где-то там... Семья, дети, родители, кошки, собаки — если мы заболеем, кому мы будем нужны?.. мы не будем болеть... каждый вдох несет нам прохладу, бодрость, легкость, полет, невесомость... прохлада идет по всему телу, а с каждым выдохом уходит-уходит тепло... и с ним уходит все, что не нужно, — боль, сомнения, заботы, разочарования, огорчения, страх... и опять прохлада... она промывает весь организм... а тепло уносит-уносит все ненужное, все омертвевшее... и опять живительная прохлада... и опять очищающее тепло...

Мы молоды, мы счастливы, мы беззаботны, мы влюблены... мы стоим в цветущем саду, в хвойном лесу, у горного водопада... мы вдыхаем кристально чистый целительный воздух...

Что мы делаем во время таких тренировок? Мы воспитываем свой неотесанный организм. Мы натаскиваем его на образ молодости и здоровья, как охотник натаскивает собаку на боровую дичь. Придет время, и наш несмышленый щенок научится сам вызывать в себе это состояние, пока не достигнет полного слияния с ним. Это время уже не за горами.

Стараемся представить поярче, как холодок промывает каждый орган нашего тела, а тепло увлекает с собой все, что удается отмыть. Особое внимание уделяем нездоровому органу. На все упражнение отводим 15 минут и, «не сбавляя набранных оборотов» (без перерыва), переходим к тренировке эмоций.

3. Тренировка эмоций

Глаза по-прежнему закрыты, но дыхание уже изменилось. Оно частое и прерывистое: вы сгорбились, опустили голову — вы несчастны, вас только что незаслуженно оскорбили, вы хотите что-то сказать, оправдаться, но спазм рыдания прерывает речь. Губы дрожат, по щекам покатились слезы... слезы!.. Господи, их уже не сдержать!.. *Не правда ли, сегодня у вас это выходит гораздо легче? Образ уже наработан, вы жалкий, всеми оставленный неудачник, вам нестерпимо жаль и себя, и того, кто с вами так груб!*

А теперь — стоп! *Искусственно* переводим себя в состояние покоя.

Голова вскинута, плечи расправлены, весь мир брошен к вашим ногам. Вы — Цезарь в минуты отдохновения. Вы — первый среди первых, вам нечего больше желать.

Ось маятника, дрогнув, совпала с нейтралью. Качнем в другую сторону этот шар.

Вызываем в себе состояние безудержного веселья. *Вы это уже пробовали, сейчас оно легче придет.* Наша жизнь — сплошной анекдот, тут есть над чем посмеяться. Смеемся искренне, заразительно, потом хохочем — взахлеб, до истерики, как в детстве, как на школьном уроке, когда смеяться ни в коем случае нельзя!..

Открываем глаза. Что это с нами сейчас было? Почему мы смеялись? Почему плакали? Реальных причин тому нет. Мы просто решили поплакать — и пригорюнились. Потом решили развеселиться — и посмеялись всласть. Мы проявили волю, и наш организм нам подчинился. И он будет нам подчиняться (чем дальше, тем больше) всегда и во всем.

Обратите внимание, как великолепно чувство покоя, охватывающее нас после таких приступов. Запоминайте его. Мы учимся властвовать собой, чтобы в конце концов обрести чувство *непоколебимого внутреннего спокойствия*, являющегося мощной опорой чувству уверенности в себе.

Продолжим тренировку эмоций.

Искусственно ввергаем себя в бездну отчаяния. Над вами нависла смертельная угроза... Нет, не угроза... Угроза — это когда можно что-то поправить! Вы — на краю гибели, вы сползаете по скользкому, мокрому скату крыши, вам не за что ухватиться, а в колодце двора тускло поблескивает далекий асфальт... Загляните в эту дыру, ощутите весь ужас неотвратимого приближения смерти. Возможно, этот кошмар вам знаком, возможно, вы его уже переживали и наяву, и в мучительных сновидениях!..

Болезнь, операция... что ждет вас дальше? Койка, приют — кому нужен неизлечимо больной человек? Дети, близкие — у них свои дела и заботы. Жизнь шумит, продолжается и будет продолжаться без вас. Постарайтесь как можно полнее — каждой клеточкой — ощутить несправедливость этого приговора... ищите, всем сердцем ищите ту соломинку, которая может удержать вас на плаву.

Боже, откуда такой мрак? Ведь вы еще живы! Значит, не все потеряно, раз вы не исчезли, не растворились в пучине небытия. Значит, жизнь дает вам еще один шанс, и его непременно надо использовать! Надо лишь собрать силы и двинуться вслед за еле заметным, но так весело позванивающим у ваших ног ручейком. Ручеек приведет к речке, речка — к реке, река — к океану. Это океан будущей жизни, которая не имеет смысла без вас.

Вы нужны детям, любимому человеку, близким, у вас имеются свои цели, мечты, задачи — вам есть что терять. Ощутите всем существом волну зарождающейся надежды, потом сядьте на стул (он должен стоять рядом), но не открывайте глаза.

Примите позу спокойного, уверенного в себе человека. То, что сейчас с вами было, — ваше прошлое, и это изменить нельзя. Но его ни в коем случае нельзя допускать в ваше будущее, иначе все повторится по кругу и будет повторяться опять и опять. Думайте об этом спокойно, без лишних эмоций, просто констатируйте факт.

Затем так же спокойно прикиньте, что вам нужно в себе улучшить, от чего следует избавиться и что необходимо переменить. Наведите изображение на резкость, представьте конкретно свой будущий облик, скажите себе: вот это я сделаю через месяц, а это — уже к утру.

Постарайтесь усилить чувство уверенности в себе и в своем будущем. Вы — не щепка в бурном потоке жизни. Вы — властитель своей судьбы, перед вами шумит океан.

Омойте тело в его волнах. Все былое — в былом, к нему нет возврата, а вы живете здесь и сейчас! Ощутите ценность каждого мига жизни, постарайтесь проникнуться чувством радости, которую дарует нам нескончаемый поток бытия. Это очень просто, иног-

да достаточно лишь улыбнуться и представить чьи-
то родные глаза.

Тренируя эмоции, не забывайте, что вам дается
лишь схема работы, которой необходимо жестко при-
держиваться. Образный ряд при этом может быть
любым, лишь бы способствовал успешному ходу дела.

4. Вызов ключевых ощущений (Т, П, Х) в заданных областях тела

Повторяем пройденное (и заодно разогреваемся). Вызываем ощущения **Т, П, Х** в нижней части тела
(до пупка), в области позвоночника, в руках и области плечевого пояса (обходя сердце).

Стараемся (без напряжения) добиться максимальной яркости каждого из ощущений. С каждым ощущением в каждой заданной области тела работаем
трижды. Не перенапрягаемся! Получаем удовольствие от работы! За каждый верно освоенный трюк
собачке дают кусочек сахара, наш организм (в виде
премии) достаточно похвалить. Не забывайте об этом.
Мы работаем без кнута, но пряников у нас должно
быть сколько угодно. Во время занятий поддержива-
ем в себе *образ здоровья и молодости!* Он и далее не
должен нас покидать.

5. Перемещение ощущений в заданных областях тела

1) *Нижняя часть тела (до пупка)*

Начинаем с ощущения **Т.** Мысленно помещаем его
в *правую стопу* и скатываем в шарик, излучающий во
все стороны приятное прогревающее тепло. Удерживаем **Т**-шарик на месте 3—5 секунд, затем бережно и с любовью поднимаем его вверх по ноге (внутри ее объема), не спеша, сантиметр за сантиметром, хорошо
представляя места (кости и мышцы), сквозь которые
он идет. Проводим шарик тепла сквозь коленный
сустав, ведем вверх через объем бедра, потом через
тазобедренный сустав (мысленно представляя его по-

лучше) — на мочевой пузырь, на копчик — идем дальше, через тазобедренные суставы проникаем в левую ногу. Ничего не пропускаем, спускаемся по бедру, сантиметр за сантиметром, через коленный сустав и голень — *до левой стопы.* Дошли до стопы, чуть задержались, прогрели ее полностью и потекли обратно — в той же последовательности, через копчик и мочевой пузырь — к правой стопе. (Это один цикл.) Прогрели стопу полностью и опять движемся в обратную сторону (рис. 9).

Аналогично работаем с ощущением П, затем — с Х. Потом ту же работу можно провести для комплексных ощущений — Т + П и Х + П.

Иногда, как мы уже говорили, ученику трудно выделить «чистые» Т- или Х-ощущения, поскольку они у него самовольно объединяются с ощущением П. Если с вами происходит то же самое, не смущайтесь, такое положение дел можно только приветствовать — этим ощущениям и следует объединяться.

Теперь замечание, общее как для непосредственно этой, так и для следующих позиций. Если вы замечаете, что какое-то ощущение (неважно — Т, П или Х) норовит проскочить мимо какого-нибудь местечка внутри вашего тела, причиной тому могут служить две вещи.

Первое: ваш организм упрямится и пока еще плохо подчиняется вашей воле.

Второе: в пресловутом «скользком местечке» намечается или уже имеет место какой-нибудь дисбаланс.

В том и другом случае вам следует настоять на своем, задерживая (на 2–3 секунды) ощущение на участке, создающем проблемы. Но помните — никакого насилия. Вы не навязываете свою волю, вы ласково уговариваете упрямящегося дурачка (ребенка или котенка). Вы можете его даже чуть-чуть пристыдить.

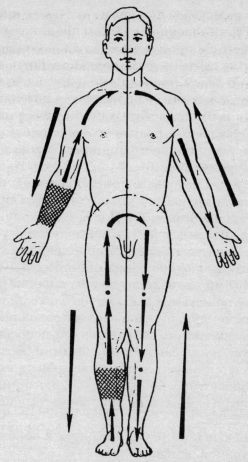

Рис. 9. Передвижение ощущений **Т**, **П** и **Х**

Действуйте таким образом и в других «трудных» случаях, и, будьте уверены, шероховатости вскоре сгладятся, словно их не было и в помине.

2) *Позвоночник*

В районе *копчика* собираем **Т**-шарик (с целебным, приятным теплом, прогревающим область позвоночника на 12–15 сантиметров по ширине), добиваемся, не напрягаясь, максимальной его яркости (6—10 секунд). Начинаем мысленно не спеша передвигать его вверх внутри позвоночника, хорошо представляя место, где он проходит. Через поясничную область, выше, выше, сантиметр за сантиметром ведем шарик, по-хозяйски оглядывая каждый позвонок. Особое внимание уделяем местам, которые нас беспокоят (или беспокоили), словно бы слегка массируя их, разминая. Переходим к грудному отделу, затем к шейному, доходим *до основания черепа*. На мгновение задерживаемся там и приступаем к спуску, любовно перебирая позвонки, мысленно массируя места, которые нас беспокоят. Доходим до копчика. Это один цикл. Делаем 3—5 таких ходок.

Аналогично работаем с ощущением **П**, потом — с **X** (по 3—5 циклов на каждое ощущение). Затем это упражнение можно выполнить с комплексными ощущениями — **Т + П** и **X + П**.

Похвалите себя, вы ведь заметили, что с каждым повтором упражнение получается все лучше и лучше.

3) *Руки и плечевой пояс*

Собираем шарик тепла *в правой ладони*, ощущаем во всей кисти его приятное излучение, добиваемся максимальной яркости изображения (не по интенсивности излучения, а по четкости восприятия).

Через 6—10 секунд начинаем мысленно передвигать шарик внутри руки вверх, стараясь получше представить места, где он проходит. Предплечье, локтевой сустав, плечо, плечевой сустав... Далее, удерживая **Т**-шарик на линии, параллельной линии плеч и практически с ней совпадающей, перемещаем его из правого плечевого сустава в левый, не думая, сквозь какие органы он проходит. Во время этого перемещения старайтесь не растерять по дороге тепло и ни в коем случае не опускайтесь ниже указанной линии, а главное — *не затрагивайте область* *сердца* (см. рис. 9). Через плечевой сустав проникаем в плечо, ведем шарик ниже — через локтевой сустав, предплечье, затем еще ниже — *в левую ладонь.* На мгновение задержались, прогрели до кончиков пальцев левую кисть и пускаемся по тому же маршруту в обратный путь — до правой ладони. Это — один цикл. Таких циклов должно быть сделано 3—5. Особое внимание в пути уделяем суставам, задерживаемся в них на 1—2 секунды, если они нас беспокоят (или беспокоили в прошлом).

Аналогично работаем с П- и Х-ощущениями (по 3—5 циклов на каждое из этих ощущений). Затем это упражнение можно выполнить с комплексными ощущениями Т + П и Х + П.

Если упражнение не получается, следует его повторить.

Те, у кого не очень хорошие анализы крови, особое внимание должны уделять костям и суставам (и участкам чуть выше и чуть ниже суставов). Собственно говоря, суставы у нас всегда должны быть на особом счету, равно как и позвоночник — на всем его протяжении.

Работайте в легком, радостном настроении. Оно всегда должно вам сопутствовать, но в данном случае к тому имеется дополнительный повод. Подумайте сами: в кои-то веки у вас наконец-то нашлось время заняться собой. Сколько вы ждали этого часа? А сколько ждал его ваш бессловесный затюканный и неприбранный организм? Он так и ластится к вам, как собачонка, которая хочет, чтобы ее почесали.

Вы и почесываете его, но особым способом — изнутри. Вы делаете своему организму самый великолепный, самый эффективный внутренний бесконтактный массаж! Подумайте, ну кто еще в целом мире способен устроить вашему телу такой праздник? Да никто, кроме вас.

Похвалите себя. Вы это, вне всякого сомнения, заслужили и можете позволить себе небольшой отдых.

6. Сбор Т-, П- и Х-ощущений со всего тела к нездоровому органу, их концентрация и последующее рассеивание

Каждый работает с тем органом, который чаще всего у него барахлит.

Мы для наглядности изберем печень. Во-первых, так уж у нас повелось; во-вторых, ей всегда больше других достается.

Закрываем глаза, расслабляемся. Начинаем с тепла. Мысленно вызываем в области печени ощущение **Т**. Представляем, что у нас там расположена небольшая электрогрелка или иной греющий элемент. Потом начинаем сбор тепла со всего тела, с самых разных его участков. Подтягиваем тепло к печени и там оставляем, подтягиваем и оставляем, и еще, и еще... Тепло приятное, целебное. Оно накапливается внутри печени и хорошо прогревает больной орган. Закончив процесс сбора, удерживаем собранное тепло в печени 3—5 секунд, потом начинаем его мысленно разбрасывать, раскидывать, рассеивать во все стороны, пока от него ничего не останется (рис. 10).

И приступаем к новому сбору. Процесс рассеивания также длится 3—5 секунд. Если у вас нездорова не только печень, но и еще какой-либо орган, например почки, можно работать сразу с двумя органами (рис. 11). Упражнение повторяем 3 раза.

Аналогично работаем с ощущением **П**, потом — с **Х**. Потом можно выполнить эту работу с **Т + П** и **Х + П**.

Упражняйтесь в хорошем настрое, с желанием помочь своим «прихворнувшим» подопечным поскорее поправиться. Если у вас не в порядке парные органы, например легкие или почки, лучше «массиро-

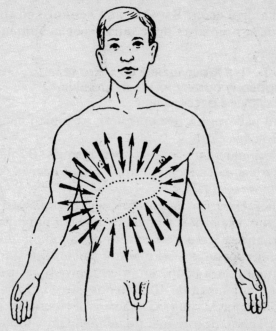

Рис. 10. Концентрация и рассеивание ощущений в области печени

вать» их поочередно, начиная с того объекта, который более нуждается в помощи.

Например, лечим правую почку, если она больше вас беспокоит, потом — левую, затем можно опять вернуться к правой. Если не в порядке не один, а несколько органов, установить очередность работы вам поможет ваш внутренний голос, прислушивайтесь к нему.

Напоминаем, что после (а иногда даже и во время) такого воздействия боли в области нездорового органа могут усилиться. Не тревожьтесь, это нормальное явление. Начало оздоровления почти всегда сопровождается легким обострением заболевания. Ваш организм подает вам знак, что процесс сдвинулся с «мертвой точки».

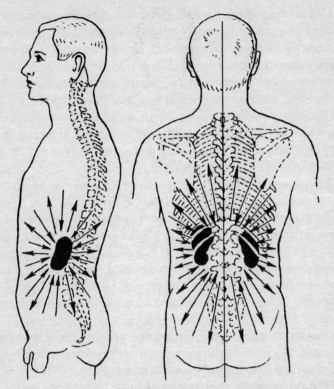

Рис. 11. Концентрация и рассеивание ощущений при работе
с двумя нездоровыми органами

7. Удаление шрамов (пробная работа)

Итак, мы приступаем к ликвидации шрамов. Это звучит фантастически, но тем не менее восточная медицина тысячелетиями практикует их устранение. Не сомневайтесь, все получится и у вас. Еще ни один мой ученик, уделяющий занятиям достаточное внимание, не потерпел поражения на этом пути. А еще знайте, что с этого момента перед вами распахиваются врата в удивительную страну неувядающей молодости, ибо в вашем теле начнут наконец-то происходить реальные перемены, ведущие к обновлению всего организма.

Перво-наперво — не мелочитесь. Смело выбирайте на теле самый большой, самый некрасивый шрам (его «возраст» не имеет значения). Если таковых нет, отыщите следок какой-нибудь прежней травмы (у женщин это могут быть стрии — подкожные разрывы тканей после родов, спайки и т. д.). Рассмотрите «свое сокровище» хорошенько, опишите его в дневнике, измерьте с помощью линейки (с точностью до миллиметра) и занесите в дневник размеры.

Теперь — непосредственная работа.

Закрываем глаза, расслабляемся, как можно более четко представляем объект, с которым нам предстоит работать. Мысленно начинаем прогревать область шрама — с боков, сверху и снизу по всей длине, а главное — изнутри. Получив таким образом устойчивое ощущение **Т**, начинаем увеличивать его интенсивность. *Не сдерживаемся,* работаем с полной отдачей. Представляем, что там (в области шрама) пылает печка, в которой плавится и сгорает все неправильное, все искаженное, все уродливое и не нужное нам. Добавляем к **Т** ощущение **П**, усиливаем суммарное ощущение насколько возможно.

Представляем топку, в которой безвозвратно исчезли клетки отживших тканей, представляем, как освободившиеся места занимают только что народившиеся молодые, нежные симпатичные клеточки, и еще раз усиливаем ощущение **ТП**. Мы чувствуем, мы почти видим воочию, как наша кожа становится гладкой, приятно розовой, эластичной, и одновременно доводим ощущение **ТП** до *максимальных* пределов. Удерживаем какое-то время полученный образ на таком уровне интенсивности, отдавая работе все силы.

В виде формулы этот процесс можно записать так:

$$Т + Т + 2Т + 2ТП + 2ТП + ТП_{макс}.$$

Тепло плюс тепло, плюс удвоенное тепло, плюс удвоенное тепло с покалыванием, плюс еще раз удвоенное тепло с покалыванием, плюс максимально сильная концентрация покалывания и тепла. Если вы будете ощущать в области шрама подергивание, жжение или сильнейший зуд — прекрасно! Это признаки того, что ваши ткани начали перестройку.

Формула «охлаждающего» воздействия выглядит так:

$$X + X + 2X + 2X\Pi + 2X\Pi + X\Pi_{\text{макс}}.$$

Вы словно проходите шесть стадий прогрессирующей настройки на образ — от нормального ощущения **X** до максимальной его концентрации, смешанной с максимально острым ощущением **П**.

Еще раз повторим: чем ощущение сильней — тем лучше для дела. В идеале образ **Т** на последней стадии воздействия должен источать жар, образ **X** — леденить кожу чуть ли не до онемения, образ **П** — вызывать сильнейший зуд и нестерпимое желание почесаться. Это, пожалуй, единственное упражнение, где у вас «развязаны руки», где методика разрешает вам пуститься во все тяжкие. Постарайтесь воспользоваться этой свободой, не сдерживайте себя.

Теперь несколько слов о самих шрамах. Когда они появляются? Когда тем или иным способом (механически, термически или в результате заболевания) повреждается тело или нарушается целостность каких-либо внутренних органов.

Без этой способности организма «латать прорехи» человек вряд ли бы смог отвоевать себе местечко под солнцем, ибо любая, даже самая пустяковая рана несла бы ему смерть.

Функционально шрам имеет задачу наскоро защитить пораженный участок, поэтому он более плотен, чем прилегающие к «прорехе» ткани, груб и как следствие некрасив. Но если организм умеет создать такую защиту, значит, он должен уметь убрать «грубую латку», когда надобность в ней отпадает? Да, должен, но он этого не делает, потому что не получает соответствующих команд. Сойдет и так, думает он про себя. Навести лоск вроде бы можно, однако хозяин помалкивает, значит, его устраивает такое положение вещей. И организм занимается другими делами, поддерживая в подведомственном хозяйстве порядок, сложившийся *после аварии.*

Убрать шрам — значит заставить наш организм вспомнить, каким был поврежденный участок тела (или орган) *до случившейся неприятности,* чтобы тот мог восстановить все «покореженное» в прежних параметрах.

Иными словами, принуждая свой организм удалить тот или иной шрам, вы одновременно отдаете ему общий приказ вернуться к тем формам, которые он имел, когда был помоложе, т. е. запускаете в нем *программу омоложения.* Физически это выражается в исчезновении всех остальных следов травм, восстановлении эластичности кожи, разглаживании морщин и т. д.

Биологические процессы омолаживания идут на более тонких, глубинных уровнях. Как мы уже не раз говорили, наш организм — идеальный работник. Однажды сказанное ему не надо повторять дважды. Дальше дело пойдет само. Главное, что от нас требуется, — не менять собственных установок, т. е. продолжать растить в сердце зеленое деревце, где уже, кажется, потихонечку-полегонечку начинает вить свое гнездышко певчая птица.

Теперь два слова о болевых ощущениях, которые нас частенько тревожат.

Что такое боль? Это прежде всего информация, идущая от поврежденного участка тела (или от нездорового органа) к нашему мозгу. Боль говорит нашему мозгу: что-то где-то идет не так. Пусть говорит, но разве нельзя сделать, чтобы она говорила тихо, не мучая нас, спросите вы? Можно, стоит проглотить пару анестезирующих таблеток, но в этом случае сигнал пропадет втуне. Мы, вместо того чтобы принять меры к устранению причин повреждения, просто-напросто отмахнемся от неприятности. Ну, плачет ребенок — и пусть себе плачет. Наденем наушники, включим веселую музыку, авось дурачок умолкнет сам по себе. Дурачок не умолкнет, а заболевание сделается хроническим — вот все, чего мы добьемся, двигаясь этим путем.

Будьте внимательны к болевым сигналам, которые подает вам ваш организм. Прежде всего спрашивайте себя, о чем они говорят, и, сделав определенные выводы, принимайте меры по ликвидации аварийных моментов.

В данном случае обострение ваших болевых ощущений может говорить лишь об одном. А именно о том, что в вашем организме начались благотворные перемены. Скажите боли: «Спасибо, я в курсе того, что происходит», — и она через какое-то время уляжется. Без каких-либо таблеток, снадобий, примочек и притираний. Дурачок всхлипнет разок-другой, а потом успокоится. Потому что вы его уже приласкали, потому что вы ему помогли всем, чем могли.

Перейдем к обзору вашей самостоятельной «домашней работы».

1. Исправно ведите дневник, не забывайте контролировать состояние своей утренней мочи (количество, цвет, прозрачность, наличие осадка). Измерьте шрам, с которым работаете, с точностью до миллиметра и занесите результаты замеров в дневник.

2. Самостоятельно поработайте с «непослушными» ощущениями. При этом помните: главный критерий

качественной работы — не «яркость» вызываемых образов, а улучшения, происходящие в организме.

3. Вечером поразмышляйте о том, как прошел день, подумайте, что бы вам хотелось в нем изменить. Наметьте план работы на завтра.

4. Внутренне настройтесь на завтрашние занятия. Они должны пройти чуть успешнее, чем сегодня.

Общее напоминание. *Не приступайте к программе следующего урока, пока не освоите все позиции урока текущего!* Даже очникам не всегда удается уложиться в отведенные сроки, приходится прибавлять к курсу занятий денек-другой. Если что-то у вас не задается, не спешите, не подгоняйте себя. Добавьте на освоение учебного материала запасной день из резервного фонда (такой резерв должен иметься в составленном вами плане). Если и этого будет мало — добавьте еще день. Не заглядывайте вперед. Закладка учебника должна находиться между страниц, с которыми ведется работа.

Образ здоровья и молодости, или Зачем нужно выращивать зеленое деревце в своем сердце

Нет больного, который не жаждал бы исцелиться. Между тем выздоравливают, особенно при тяжелых недугах, далеко не все. Значит, одного желания тут мало. Значит, страждущему, чтобы пойти на поправку, нужно что-то еще.

Что же? Ответ на этот вопрос лежит в основе предлагаемой методики.

Если хочешь быть счастливым — будь им. Эта всем известная и на первый взгляд несколько ироническая формулировка, как ни странно, верна. Только слово «будь» в ней на начальном этапе нашего путешествия в страну вечной молодости следует заменить словом «стань».

Говоря иным словами, дай телу верный ориентир. Возжелай не облегчения своей доли, не избавления от недуга, возжелай обрести молодость и здоровье, замени формулу «хочется выжить» на «хочется жить». Ощути это желание всем существом, посади зеленое деревце в своем сердце. Радуйся каждому дню, который тебе подарен мирозданием и природой, и старайся поселить эту радость в других. По наблюдениям американских ученых, 30 % людей, страдающих тяжелыми онкологическими заболеваниями, одолевают эту напасть.

Психологические исследования исцелившихся показали, что все они по натуре оптимисты и во время болезни не только не оплакивали свою горькую участь, но даже и не помышляли о печальном конце. Они не боролись за жизнь, они жили ежедневно, ежечасно, ежеминутно радуясь небольшим удачам и не унывая в часы поражений. Они верили, что тучи, застлавшие их горизонт, непременно уйдут.

«Оптимисты — да, но я-то вовсе не оптимист, — может сказать кто-то. — Да и откуда ему взяться, этому оптимизму, когда в боку колет, в плечах стреляет, в груди саднит, а суставы скрипят? Лучше вылечите меня поскорей, а там уж я так начну радоваться жизни, что только держись! И своего не упущу, и других порадовать не забуду! А пока — извините, мне не до радости, до туалета бы как-нибудь доползти...»

Не совершайте этой ошибки! Не загоняйте себя в тупик!

Вспомните, о чем мы говорили на первых занятиях. Если радость жизни не приходит самопроизвольно, значит, следует *искусственным образом* ее вызвать. Мы это уже делали, упражняя эмоции. Мы знаем, что организм поддается настройке. Мы знаем, что между внутренним состоянием и внешним обликом существует как прямая, так и обратная связь.

Заставить себя ни с того ни с сего вдруг ощутить прилив счастья практически невозможно. Но войти в образ счастливого человека можно, и без особых хлопот. Стоит лишь воспользоваться нехитрым актерским приемом — вскинуть голову, выпрямиться, расправить плечи и улыбнуться. И постоять в этой позе минут пять.

К вам непременно придет хорошее настроение, может быть, даже просто оттого, что вы — такой взрослый, такой обстоятельный! — вдруг включились в какую-то легкомысленную игру.

Улыбнитесь. И еще, и еще раз. Легкомыслие и игра свойственны молодости. Они органически входят в состав образа, который вам предстоит в себе изваять. Играйте роль счастливого человека, играйте себя — такого, каким вам хотелось бы стать. И сами не заметите, как эта роль в один прекрасный момент сделается вашей сутью, а хорошее настроение станет неотъемлемым качеством вашей обновленной души.

Помните, чтобы достичь цели, нужно ясно ее представлять. Образ молодости и здоровья и есть ваше представление о цели. Без него все упражнения и тренировки бесполезны, ибо теряют всяческий смысл.

Урок шестой

1. Разминка:
   - аутомануальный комплекс (массаж биологически активных точек головы);
   - упражнения для позвоночника;
   - упражнения для суставов рук и ног.

2. Дыхательная медитативная гимнастика (в основном через нездоровый орган).

3. Тренировка эмоций.

4. Перемещение ощущений (**Т**, **П**, **Х**, **Т + П** и **Х + П**) в заданных областях тела (ноги, позвоночник, руки и плечевой пояс).

5. Перемещение ощущений в конечностях (через позвоночник).

6. Первый комплекс медитативных упражнений:
   а) сбор и рассеивание ощущений;
   б) трехплоскостная обработка нездорового органа («протирка», «спираль»);
   в) работа со шрамами.

Дорогу осилит идущий

Перед началом урока давайте немного по-дружески поболтаем. Кажется, у нас уже есть что обсудить.

С чего начинается любая непринужденная беседа? С вопроса о самочувствии собеседника.

Ну, как вам сегодня дышится? Немного полегче? Это уже плюс. Что с вашим сном? Ах вот как?.. И будильника не услышали, и на работу проспали?.. А что с аппетитом? Готовы проглотить слона? Что же, съешьте его на здоровье, если раздобудете и сумеете приготовить. Что вас пугает? Ах, ваш вес! Плюньте на свой вес. Он устаканится, он обязательно придет к своей *физиологической норме,* а вашему организму как раз сейчас позарез нужны строительные материалы. Поэтому ешьте все, что хочется и когда хочется, а не только утром, в обед и вечером. Старайтесь лишь, чтобы ваша пища была по возможности разнообразной и полноценной.

Методика специально вопросами питания не занимается, но так или иначе ученики этой темой очень интересуются, поэтому приходится уделить некоторое внимание и ей.

Правильному питанию организма, на мой взгляд, мешают две вещи: *диета,* кроме специальных, как, например, при диабете, диет, запрещающих больным людям употреблять в пищу те или иные продукты, чтобы не обострить болезнь, и *режим*. Почему? Потому что в природе таких понятий не существует. И волк, и медведь, и заяц едят не по таймеру и насыщаются тем, что им удается в данный момент раздобыть, а не рыщут по лесу в поисках диетической снеди. Когда же имеется выбор, животное руководствуется инстинктом в отличие от человека, который руководствуется инструкциями.

Человек забыл о таком могучем регуляторе режима питания, как *голод*. Он ждет, когда «прозвонит брегет».

Вы опять стали ощущать это забытое чувство «волчьего аппетита»? Вас вновь, как в детстве, будоражит вид и запах ароматной горбушки хлеба? Ну так вонзайте в нее зубы себе на здоровье, ведь организм недвусмысленным образом намекнул, что следует малость перекусить.

Большинству из людей *можно есть все,* следует только знать *как.* Автор этих строк находит весьма разумной практику раздельного питания. Схема такого питания по основным продуктам выглядит так.

Белки	Растительная пища	Углеводы
Мясо, рыба, яйца (всмятку), бульоны (первую воду слить), бобовые, грибы, орехи, семечки	Овощи, фрукты, соки	Хлеб (чем грубее, тем лучше), мучные изделия (чем меньше, тем лучше), крупы, картофель, сахар, варенье, конфеты, мед

Можно

Можно

Нельзя

Схема раздельного питания

Давайте крепко запомним: питание не основной вопрос данной методики. Здесь высказано лишь мнение, а вам судить, достойно оно внимания или нет.

Что касается «лишнего» веса или его «удручающей» недостаточности, тут методика говорит жестко: выбросьте эти комплексы из головы. Не смейте (особенно женщины), глядя в зеркало, воздыхать: «Ах, я такая коровища!» Или: «Ох, я такая худущая, ни кожи ни рожи, не на что даже взглянуть!» Вес человека, помимо прочих причин, обусловлен конституцией его тела. Гиперстеник (человек небольшого роста и плотный) всегда будет весить больше средней статической нормы, астеник (человек высокий и худощавый) — наоборот.

Главное, чтобы вес соответствовал *индивидуальным параметрам,* и он будет им соответствовать, потому что за этим бдительно проследит ваш обновляющийся организм. Глядя в зеркало, говорите себе: «Я пышненькая, как булочка!» Или: «Я стала стройной, как кипарис!» Настоящую женщину не портит ни полнота (вспомните обнаженных дам Ренуара), ни худощавость (вспомните наших обаятельных балерин).

Теперь — о сне. Ваш сон к сегодняшнему занятию должен стать *качественным.* То, что вы некогда «почивали» по 7–8 часов кряду и ужас как *не хотелось вставать* на работу, еще ни о чем не говорит. Качественный сон обладает способностью расслаблять все мышцы тела и полностью восстанавливать силы усталого организма даже в короткий отрезок времени, а как раз сейчас вашему организму эти силы очень и очень нужны.

Вспомните, как засыпает ребенок. Сразу и в любой позе. Головка запрокидывается, дыхание становится ровным — малыш *тяжелеет* прямо у нас на руках. Так же должны засыпать и вы. Моментально, словно проваливаясь в подушку. Качественный сон не оставляет после себя чувства мучительного «недосыпа», он резко отличается от сна, к которому вы привыкли. Если вы все еще продолжаете спать «по старинке» — не тревожьтесь: не сегодня, так завтра от всех ваших «недосыпов» или «полуночных бдений» не останется и следа.

Итак, мы выспались, встали и... что сделали? Правильно, побежали рысцой в туалет. Там ожидает заветная баночка — мы проверяем состояние мочи. Если в ней наблюдаются хлопья, песок — прекрасно: началось очищение организма. Перемена цвета тоже должна порадовать. Значит, активизировалась ваша печень — это очень хороший знак. Присмотритесь к песку: если он светлый и желтоватый, значит, ему «от роду» несколько месяцев. Если же он темного цвета, значит, вы носили в себе эту «радость» не менее двух-трех лет.

Внимание! Вслед за песком с мочой могут начать выходить и мелкие камешки — из почек и желчного пузыря (диаметром до 0,5 см). «Мелочь», как правило, покидает организм безболезненно, крупные камни могут создать проблемы. Люди, в организме которых образуются такие структуры, обычно знают об их наличии. Если вы страдаете подобным недугом, будьте начеку! Надеюсь, вы *знаете,* как поступать в случае возникновения подобных проблем.

Теперь проведем беглый осмотр «остальных войск». Как печень? Стала побаливать? Как почки? Тоже дают о себе знать? Как суставы? Говорите, немного опухли? А скажите, до начала занятий по данной методике ничего такого не наблюдалось? Ах, время от времени наблюдалось? Что ж, успокойтесь. Организм приступил к активному оздоровлению тела. Неудивительно, что этот процесс отзывается в слабых местах.

Задерите-ка маечку (закатайте рукав, подверните штанину)! Давайте проверим, как выглядит наш «самый любимый» шрам. Вам не кажется, что он сделался чуть меньше? Ну-ка, возьмем линеечку в руки. Что видим? Каким был наш красавец, таким и остался? Ничего страшного, мы ведь к настоящей работе еще и не приступали. Вчера была, так сказать, проба пера. А вот сегодня займемся им вплотную, и он у нас — хочешь-не хочешь — с насиженного местечка сойдет.

Если шрам, с которым вы работали, уменьшился в размерах, значит, вы двигаетесь, опережая график. Примите, конечно, самые искренние поздравления, но не надейтесь, что этот факт позволит «увильнуть» от сегодняшних упражнений. Работать придется с полной отдачей, как и всем остальным ученикам.

Ну, кажется, все. Мы прошлись по всем пунктам и вроде бы ничего важного не упустили. Осталось лишь напомнить кое-кому, что прогресс в улучшении зрения и слуха на сегодня должен составить 10–20 %. Подтянитесь, лентяи, взбодритесь, сонливые, если хотите прозреть и обрести слух!

Впрочем, взбодриться и подтянуться сейчас должны все. Минута-другая, и мы перейдем к основным занятиям, но, разумеется, после соответствующих напоминаний и наставлений.

Напоминания и наставления

Перед началом занятий вам следует занести в дневник подробные сведения о происходящих в вас переменах.

Не пытайтесь ускорить события и в то же время не затягивайте работу. В любом живом деле имеется «золотая середина». Старайтесь интуитивно ее отыскать.

Чуть завышайте объемы реально планируемой работы. Практика показала, что человеческий организм имеет свой норов и осваивает лишь 80—85 % из того, что намечено к освоению. «Завышение планки» — хитрость, с которой можно «добрать до сотни» то, что не удается добрать без нее.

Если вы внимательно прочитали программу шестого урока, то, наверное, заметили, что сегодня дыхательная гимнастика как бы упрощена. Мы сегодня подышим лишь через нездоровый орган, отдавая основное время занятий другим — новым и несколько усложненным — тренировкам (например, в комплексе медитативных упражнений все позиции — от «а» до «в» — следует проходить без перерыва).

Кроме того, нам предстоит закрепить (то есть практически довести до автоматизма) навыки пятого урока. Через щитовидную железу, ладони и стопы подышите самостоятельно (вечером, перед сном, или утром, лежа в постели). То же относится к остальным упражнениям, которые в силу разных причин не включены в программу урока. Их можно по мере надобности самостоятельно выполнять в любое другое время.

1. Разминка

Работаем с удовольствием, любуясь собой. На душе у нас солнечно, упражнения нам знакомы. Известно также, что они прошли жесткий отбор и наилучшим образом соответствуют программе оздоровления. Работаем внимательно, не пропуская ни единой позиции.

2. Дыхательная медитативная гимнастика

Работаем, настроившись на волну здоровья и молодости. Дышим через нездоровый орган, желая ему скорейшего исцеления.

3. Тренировка эмоций

Качнули маятник: слезы — спокойствие — смех. Увеличили амплитуду: отчаяние — затишье — надежда. Еще увеличили размах: обреченность — покой — безграничная уверенность в собственных силах (вплоть до непрошибаемой самонадеянности). Что мы делаем? Мы раскачиваем буксующий грузовик. Туда-сюда, туда-сюда, пока он не выкатится из ямы и не покатит по ровной дороге в туманную даль. Или, если хотите, мы тянем себя, как Мюнхгаузен, за волосы из болота. Рывок — отпустили, рывок — отпустили... ну, еще один самый мощный рывок! Если вдуматься, не такая уж это и глупая аллегория. Не сидеть же всю жизнь в дурацком болоте.

4. Перемещение ощущений (Т, П, Х, Т + П и Х + П) в заданных областях тела (ноги, позвоночник, руки и плечевой пояс)

Проделываем все то же, что и на прошлом уроке. Начинаем с ощущения, которое вызывается хуже других. «Ходка» (один цикл перемещения) каждого из ощущений по каждой из заданных областей повторяется 3—5 раз (для ощущения, которое работает хуже других, обязательно 5).

Цель тренировки — закрепление пройденного и подготовка к освоению нового материала.

5. Перемещение ощущений в конечностях (через позвоночник)

Начинаем с тепла. Мысленно собираем Т-шарик (3—5 секунд) в правой стопе (можно в любой стопе или в любой ладони). Тепло ласковое, целебное, мы хотим поярче его ощутить. Нам приятно это занятие, мы предвкушаем удовольствие. Мы работаем, пронизанные флюидами здоровья и молодости, мы стараемся никогда с этим образом не расставаться.

Перемещая шарик, хорошо представляем объемы, сквозь которые он движется, и то, что находится в них, мысленно массируем изнутри свое тело, уделяя больше внимания неблагополучным участкам. Схема перемещения (рис. 12) такова.

Из *правой стопы* Т-шарик идет вверх по ноге до *тазобедренного сустава,* далее — через *копчик* и *мочевой пузырь* — уходит в *позвоночник,* идет вверх — от позвонка к позвонку (можно дойти до верхних позвонков шеи), переходит через *плечевой сустав* в *правую руку,* спускается по ней до *правой ладони* (на мгновение задержался, прогрел) и тем же путем уходит вверх к *правому плечевому суставу.*

Далее шарик переносится по линии плечевого пояса к *левому плечевому суставу* и через него уходит в *левую руку.* Спускается по руке к левой ладони (задержался, прогрел) и обратным путем возвращается к *плечевому суставу.*

Затем — спуск по *позвоночнику* и — через *тазобедренный сустав* — уход в *левую ногу* к *левой стопе.* Далее Т-шарик движется вверх, переходит через *тазобедренные суставы* в *правую ногу* и по ней спускается к *правой стопе,* то есть попадает в исходную точку. Это один цикл перемещения («ходка»).

Делаем три Т-«ходки» подряд, затем трижды аналогично работаем с П-ощущением, затем (также трижды) — с Х. Уделяем побольше внимания местам, где ощущения либо «проскакивают», либо теряют яркость.

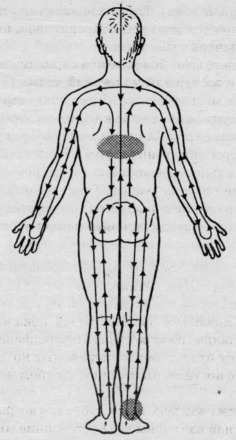

Рис. 12. Перемещение ощущений в конечностях
через позвоночник

Крайние позиции упражнения можно чередовать: например, один день начинаем мысленный массаж конечностей и позвоночника с ощущения **Т**, второй — с ощущения **X**, третий — опять с **Т** и т. д. Также можно произвольно (от упражнения к упражнению) менять положение исходной точки движения. Один день — вышли из правой стопы, другой — из левой стопы, третий — из какой-либо ладони... Это вносит некое разнообразие в процесс тренировок, но практического значения не имеет.

Поздравьте себя. Вы успешно справились с новым заданием и заслужили маленький отдых (10—20 минут). Далее мы приступим к освоению «первого комплекса медитативных упражнений», к которому, помимо работы со шрамами, также относятся упражнения по коррекции зрения и слуха. Цель комплекса — активизация кровообращения в нездоровом органе и улучшение его иннервации. Она достигается путем мысленного всеобъемлющего (как внутреннего, так и наружного — всестороннего) массажа нездорового органа.

6. Первый комплекс медитативных упражнений.

Необходимое напоминание. Для работы каждый может избрать *любой нездоровый орган, кроме сердца и головного мозга.* Эти органы для нас пока что закрыты. В них также, по мере нашего продвижения к цели, происходят благотворные перемены, но — опосредованно, с постепенным оздоровлением всего организма.

Работаем, закрыв глаза, абсолютно расслабившись, изгнав из головы все посторонние мысли.

1) *Сбор и рассеивание ощущений*

Начинаем традиционно с тепла. Работа эта уже нам знакома (см. пятый урок, рис. 11). Подтягиваем к нездоровому органу со всех участков тела целебное, приятное, прогревающее тепло (3—5 секунд), удерживаем его, потом разбрасываем в разные стороны, стараясь полностью от него освободиться. Повторяем это 3 раза. Потом проделываем 3 аналогичных манипуляции с ощущением **П**, затем с **Х**.

Работу можно также построить по следующей схеме: 3 раза работаем с ощущением **Т**, затем 2–3 раза — с **Т + П**, затем 3 — с чистым **П**, затем 2–3 раза — с **П + Х**, затем — с чистым **Х** (3 раза).

Работая, представляем, какое облегчение несет каждой клеточке нездорового органа этот массаж. Они буквально трепещут, омываемые притоком горячей (ощущение **Т**) питательной крови. Они бесконечно рады, что их хозяин (хозяйка) наконец-то соизволил (соизволила) вспомнить о них, они сияют, как свежепротертые стекла...

Закончив работу, без перерыва переходим к следующему упражнению.

2) *Трехплоскостная обработка нездорового органа.*
   «Протирка»

Скатываем **Т**-ощущение в шар размером с кулак (или поменьше) и начинаем передвигать его в трех плоскостях в районе больного органа (рис. 13 и 14). Мысленно проходим орган насквозь, *протирая его внутри и снаружи* — нежно и очень бережно, как губкой (расправляя, разглаживая).

Вертикальные (зигзагообразные — рис. 15) перемещения от края до края: *сверху вниз, снизу вверх* 3 раза.

Горизонтальные (зигзагообразные) перемещения от края до края: *слева направо, справа налево* 3 раза, *от живота к спине, от спины к животу* 3 раза.

Аналогично работаем с ощущением **П**, затем — с **Х**.

Работаем весело, с удовольствием. Образ молодости и здоровья не покидает нас. Наша задача — пройтись по всему объему больного органа, не пропустив ни единого, даже самого крохотного местечка. Поэтому задействованный объем тела должен быть несколько больше объема избранного объекта.

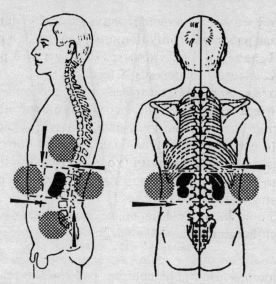

Рис. 13. Упражнение «протирка»: передвижение ощущений
по горизонтали и вертикали

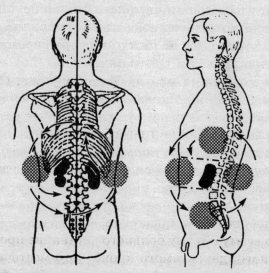

Рис. 14. Вариант передвижения ощущений («протирка»)
при работе с нездоровым органом

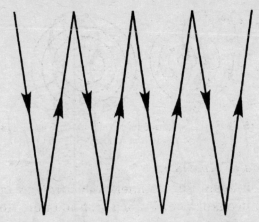

Рис. 15. Схема передвижения ощущений при выполнении
упражнения «протирка»

«Спираль». Не прерываемся, работаем с тем ощущением, на котором закончили предыдущее упражнение. Перемещаем его в тех же направлениях и плоскостях, что и при «протирке», но уже не линейно, а по спирали, закрученной подобно спирали в электроплитке (рис. 16). Если объект упражнения — *позвоночник* (рис. 17 и 18), движемся по спирали *сверху вниз и обратно* или наоборот (при «протирке» направления те же, но движения строго линейны). Витки можно делать покрупнее, покруче, затем помельче. Ширина их — 10–15 сантиметров.

Еще раз напоминаю: главное как в этом, так и в других упражнениях — любовное отношение к делу. Ваша работа уникальна, никто ее не может проделать за вас. Мысленно — очень нежно и бережно — стараемся разгладить, расправить все складочки внутри и на поверхности неблагополучного органа, проникаем «губкой» во все углубления, массируем труднодоступные места.

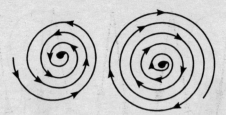

Рис. 16. Схема передвижения ощущений при выполнении упражнения «спираль»

3) *Работа со шрамами*

По этой позиции комплекса работают только те, кому это необходимо. У кого шрамов нет, могут немного поработать с нездоровым органом — с тем же самым или каким-либо другим.

Ощущение, с которым пройден последний виток спирали, мысленно переносим на область шрама и дальше работаем точно так же, как и на прошлом уроке. Каждый образ по 3 раза усиливаем. Не сдерживаемся. Вкладываем в процесс всю энергию, все желание избавиться от ненормальной структуры,

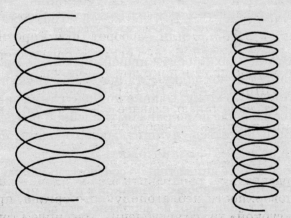

Рис. 17. Схема передвижения ощущений при выполнении упражнения «спираль» на позвоночнике

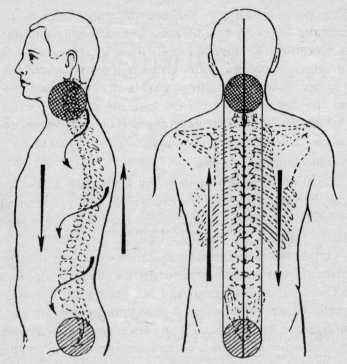

Рис. 18. Передвижение ощущений при выполнении на позвоночнике упражнений «протирка» и «спираль»

когда-то неплохо послужившей, но теперь уродующей нашу такую гладкую, такую эластичную, такую великолепную кожу. Однако концентрация энергии ни в коем случае не должна быть злобной и агрессивной. Вы стремитесь улучшить, облагородить, исправить, а не содрать, изничтожить, сломать.

Перечитайте внимательно соответствующую главку учебника. Вечером с линейкой в руках проверьте, как обстоят дела. Вполне вероятно, что вас ждет приятный сюрприз. Занесите в дневник результаты замеров.

Еще раз напоминаю, что все вышеописанные упражнения первого комплекса следует делать на одном дыхании, не прерываясь. Поэтому, прежде чем приступить к работе, внимательно изучите учебный материал, чтобы потом не путаться, не сбиваться, не начинать все сначала. На это задание вам отводится не более 20 минут. Затем можете себе позволить не очень большой, но вполне заслуженный отдых.

Теперь обращение ко всем прилежным и трудолюбивым ученикам. Сегодня у нас весьма значительный день. Он знаменуется началом лавинообразного процесса оздоровления организма. Поэтому мы должны мобилизовать всю устремленность, всю добрую волю, чтобы процесс этот шел в заданном русле и, не снижая темпов, привел к желанному результату. Будем веселы, доброжелательны, невозмутимы, настойчивы и упорны!

Задание к следующему уроку

1. Потренируйтесь в позициях этого урока, там, где вы чувствуете за собой слабину. Но... не перетренируйтесь. Помните, заочникам на освоение программы каждого занятия отпускается 2—3 дня.

2. Добросовестно ведите дневник. Отмечайте в нем все перемены в своем состоянии.

3. Настройтесь на будущий день. Вы уже имеете опыт работы с программой. Прикиньте, что можно сделать для лучшей успеваемости с учетом своих индивидуальных качеств и особенностей организма. Может быть, стоит что-то переменить в распорядке дня.

4. Постоянно находитесь в добром расположении духа, настроившись на образ здоровья и молодо-

сти. Если надо, поддерживайте его искусственно. Работайте с эмоциями. Тренируйте моменты, которые не удаются.

5. Не перелистывайте страницу, пока не освоите всю программу урока.

Успеха вам и удачи!

Урок седьмой

1. Разминка:
   - аутомануальный комплекс (массаж биологически активных точек головы);
   - упражнения для позвоночника;
   - упражнения для суставов рук и ног.

2. Дыхательная медитативная гимнастика (медитация молодости).

3. Тренировка эмоций.

4. Перемещение ощущений в конечностях (через позвоночник).

5. Первый комплекс медитативных упражнений:
   а) сбор и рассеивание ощущений;
   б) трехплоскостная обработка нездорового органа («протирка», «спираль»);
   в) работа со шрамами.

6. Трилистники (второй комплекс медитативных упражнений).

7. Большой круг (или «шумный город»).

Начало

седьмого урока в очных группах обычно посвящено сдаче зачетов. Надо отметить, что эта акция проводится не только для того, чтобы подтянуть отстающих. В основном ее цель — подстегнуть всех, в том числе и преуспевающих учеников. Не радуйтесь, дорогие заочники, вам тоже не удастся избежать общей участи. Выкладывайте на стол свои дневники и приготовьтесь к хорошей накачке.

«Ну, меня-то все это никак не касается, — может сказать кто-нибудь. — У меня везде полный ажур. Я и программу выполняю с опережением графика, и упражнения мне даются легко. Шрам уменьшается, песок сыплется, печенка помалкивает. Все идет как по писаному. Никакая накачка мне не нужна!»

Проверим-ка ваше состояние на данный момент. Пройдитесь по нижеприведенному перечню и поставьте возле каждого пункта минусы или плюсы. Это и будет наш зачет.

1. Сон — качественный.
2. Аппетит — хороший или просто великолепный.
3. Настроение, самочувствие — улучшаются день ото дня.
4. Работа кишечника — пришла или приходит в норму. Тут может наблюдаться эффект маятника. Например, если вы прежде были склонны к запорам, то сейчас вас может беспокоить понос. Ма-

ятник, долгое время ржавевший в одном положении, соскочил с фиксатора и качнулся в другую
сторону. Не тревожьтесь, скоро он отыщет нейтраль.

5. Функции нездорового органа — восстанавливают-
ся (после короткого криза).

6. Шрам — полегонечку исчезает.

Итак, каковы результаты? Если вы успешно осваи-
вали все положения учебной программы и работали
в верном ключе, их нетрудно предугадать. Плюсов
должно быть шесть.

Происходит то, что и должно происходить. Механизм самовосстановления вашего организма (с небольшим поначалу скрежетом) пришел в действие.
Улучшения в вашем состоянии столь несомненны,
что кажется, чего еще больше желать? Делай разминку, дыхательную гимнастику, тренируй эмоции,
передвигай ощущения — и потихонечку-полегонечку приедешь к тому самому храму, к которому ведут
тысячи дорог. Наступил самый опасный (и где-то
переломный) момент в процессе вашего самообразо-
вания (пик которого приходится на уроки 5—8). Где
же таится эта опасность? А вот где.

«...В первый раз, когда стал исчезать шрам, умень-
шаться варикоз, начало улучшаться зрение, я успокои-
лась и стала ждать. Делала упражнения механически, и процесс улучшения остановился. А сейчас он
снова пошел...»

Это выдержка из дневника одной нашей «второ-
годницы» — женщины, которая потерпела неудачу
в первой попытке обрести здоровье и молодость, но
нашла в себе силы сделать новый (и уже удачный)
заход.

Самоуспокоенность — вот ловушка, вот паутина,
к которой нас подталкивает чувство обманчивого бла-

гополучия. Если попадете в ее сети, пишите пропало. Колесо, которое вы в себе с большим усилием провернули, остановится, и все вернется на круги своя. Вот почему на этой ступени развития так важно себя подстегнуть, вот почему так важно сказать себе в нужный момент: «Э, приятель, ты, кажется, решил прикорнуть в холодочке? А ну-ка вставай, не ленись, двигай ножками — до цели еще далеко!»

Вам следует именно сейчас *сконцентрировать всю волю, всю устремленность к желанной цели* еще и потому, что новые упражнения, которые предстоит освоить, — более сложные, более эффективные. Их назначение — раскрутить маховик самооздоровления, который только-только начал вращаться, а эта работа потребует дополнительных *волевых импульсов*.

Действие этих импульсов (в первом и самом грубом, разумеется, приближении) можно сравнить с действием сильных (особенно гормональных) лекарственных препаратов, тоже помогающих организму держаться на должном уровне. Но все эти препараты приходят к нам извне, они провоцируют деградацию (отмирание) естественной способности к самооздоровлению. Организм *развращается*, он начинает считать стороннюю дотацию нормой и перестает противостоять болезни. Кроме того, передозировка таких средств не менее вредна, чем их недостаточность.

Врач только *предполагает*, чего и сколько требуется больному, а мозг (на подсознательном уровне) *знает точно,* какая помощь, когда и в каких количествах нам нужна. Надо лишь пробудить к действию соответствующие структуры в его глубинах, и они сами пошлют команду той или иной дремлющей железе.

Запустить в действие эту программу самовосстановления можете только вы сами, и никто кроме вас. На этом пути главными определяющими факторами являются *желание* и *вера в себя,* то есть, если хотите, ваш *дух*, от которого рукой подать до *души*. Все остальное — материя и биохимия (материальные перемещения веществ в организме), которые без соответствующего *(духовного)* присмотра разрушаются, стареют, приходят в упадок.

Молодость есть качество организма, которое не зависит от возраста. Она покидает нас лишь тогда, когда мы (своим попустительством) ей позволяем уйти. Люди цельные, живущие в естественном ладу с душой и телом, сохраняют это качество до конца своих дней. Человек может жить до 120 лет и долее, тому в истории человечества имеется множество примеров. Здесь уместно вспомнить нашего современника, знаменитого американского ученого Поля Брэгга (знакомого нашим читателям по книге «Чудо голодания»), который и возрасте 95 лет оставался живым, энергичным и деятельным человеком, пока трагический случай не оборвал его жизнь.

Итак, что из всего вышесказанного следует? То, что надо *постоянно контролировать степень своей устремленности к цели*. Расслабляясь физически, не позволяйте себе расслабляться *духовно*, иначе никакие упражнения и занятия вам не смогут помочь.

Некоторые ученики на этой стадии обучения начинают особенно часто задавать традиционный вопрос: когда же мы в конце концов приступим к программе омоложения? Ведь вы обещали, а время идет, а мы, собственно говоря, только для этого и стараемся, только этого и хотим! Если этот вопрос не дает покоя и вам, оглянитесь на пройденный путь и поймете, что уже давно к этому приступили.

А сейчас приступим к освоению конкретной программы урока, но, разумеется, после необходимого наставления. Оно будет предельно кратким.

Наставление. Вам следует всемерно стремиться *сокращать время тренировок* за счет благоприобретенных навыков. Учтите, «природная медлительность» не оправдывает вас. Подстегните себя, но, разумеется, нежно и ласково, как упрямящегося ребенка. Напоминаем, что вся тренировочная программа урока, когда ее освоите полностью, должна укладываться в 20 минут. Поэтому с сегодняшнего дня будем стараться работать не только хорошо, но и быстро. При этом качество работы ни в коем случае страдать не должно.

1. Разминка

Работаем под музыку, в присущем нам прекраснейшем настроении. Мы веселы, здоровы, довольны мирозданием и собой.

2. Дыхательная медитативная гимнастика

Все ваше существо пронизано флюидами молодости. Я намеренно не предлагаю конкретной картины образа. У каждого она своя и к настоящему уроку должна сформироваться достаточно четко. Представляйте себе что-то доброе, нежное, невыразимо приятное, то есть то, что вызывает душевный подъем. С этим образом вам уже следует внутренне сродниться. Последующая тренировка эмоций назначена помочь в этом.

3. Тренировка эмоций

Сегодняшняя работа в основном будет направлена на созидание душевного равновесия, то есть на разрешение конфликтов в вашем прошлом и настоящем и на предотвращение их в будущем.

Но... это ведь невозможно, скажете вы. В жизни отнюдь не все идет ровно да гладко. Люди ссорятся, мирятся, расходятся, сходятся, задевая, раня, унижая и обижая друг друга.

И потом, конфликты порою бывают неразрешимыми. Их никакими способами не уладишь. А тем более в прошлом, которого уже не вернешь. Разве есть в мире средство, которое может примирить непримиримых врагов или перенести человека в прошлое, чтобы он хотя бы попробовал там что-либо изменить?

Что ж, вы почти правы. В материальном мире такого средства не существует. Но оно существует в другом мире, нам всем сызмальства известном и внятном, а именно — в глубинах нашей души. Имя этому средству — *прощение*.

Простить — значит раз и навсегда поставить крест на чем-то неправильном, несправедливом, дурном и тем самым облегчить свою душу. Точно так же как человеческий организм нуждается в избавлении от вредоносных шлаков, нуждается в очищении и человеческая душа.

Прощение и есть акт этого очищения, благотворно влияющий на здоровье души и, следовательно, на физическое здоровье тела. Правоту этого утверждения блистательно подтвердила на собственном опыте Луиза Хей. «Всякая болезнь происходит от непрощения»[1], — сказала она однажды и, придерживаясь этого постулата, сумела самостоятельно исцелиться от недуга, перед которым расписалась в бессилии официальная медицина.

Теперь перейдем непосредственно к тренировке. Нас ждет путешествие во времени. Сначала посетим наше прошлое, потом попытаемся заглянуть в будущее.

Закройте глаза, войдите в образ печального, неудачливого человека. Вы — в пустом кинотеатре. В зале царит полумрак. Экран пока чист, но вы знаете, что сейчас на нем пойдет фильм о вас.

Как он построен, о чем расскажет? — ничего не известно. В душе любопытство, смешанное с тревогой.

---

[1] *Хей Л.* Как исцелить свою жизнь // Путь к себе. 1992. — № 6.

Тревога нарастает, за ней прорезается боль. Все дорогое, что у вас было, ушло безвозвратно, да его словно и не было: прошлое состоит из одних неприятностей, разочарований, унижений, обид... Память перебирает эти обиды, уходит глубже, к юности, к детству... первые огорчения... пустота в фантике вместо конфеты, соседский мальчик отнял игрушку... и что-то еще, и еще, и еще...

Экран засветился, там движутся какие-то силуэты, тени, лица... всматриваетесь, но без напряжения, резкость постепенно увеличивается, вы начинаете узнавать кое-кого в череде лиц.

Посмотрите, это те люди, с которыми вам приходилось встречаться в жизни. Многие из них делали вам больно, а кто-то страдал из-за вас... Вы ведь никого не вызывали сюда специально, но они пришли, они тут, и значит, им и вам это необходимо. Значит, вы должны с каждым пришедшим поговорить.

Мысленно войдите в экран, станьте участником действия, говорите каждому из своих обидчиков примерно следующее: «Да, ты когда-то сделал так, что мне стало очень плохо. Мне было очень больно, но теперь это в прошлом, этого нет как не было, — я прощаю тебя!..» И если перед вами окажется тот, кого уже нет на этой земле, говорите ему то же самое, искренне от всего сердца: «Ты остался в прошлом, я здесь по своей воле, чтобы проститься, моя жизнь — настоящее, я прощаю тебя!..»

Не задерживайтесь с кем-либо подолгу, переходите от человека к человеку, но поговорите с каждым, даже с тем, кто не знаком вам, и выслушайте каждого, и простите, и попросите прощения у тех, кому сами могли причинить боль.

Будьте ласковы со всеми, особенно с близкими. Близкие причиняют нам самые большие страдания, но порой они сами не ведают, что творят... простите им все.

Если появятся слезы, не сдерживайте их... Плачьте-плачьте, слезы несут облегчение, с ними уходит все, что мучило вас и давило, все, что не вернется теперь никогда.

Стоп!

Мысленно скажите себе: довольно, я побывал в прошлом, но лишь потому, что сам этого захотел... Теперь я не тот, что был раньше, моя жизнь — настоящее. Все плохое, что было, не имеет ко мне отношения, во мне нет места ему. Да, в жизни было много ошибок, обид, огорчений и разочарований, но я — *живу*, значит, у меня хватило сил все пережить, значит, у меня хватит сил двигаться дальше, я делаю все, что в моих силах, чтобы не стать прежним, я хочу сделаться обновленным, другим... Я уже другой. Я мыслю, чувствую, дышу, и уже это одно само по себе — счастье, а раньше я этого не понимал, не знал, не ценил.

Все, что надо для счастья, со мной и во мне, есть цель в жизни, и ничто не мешает к ней двигаться. Я молод, уверен в своих силах, я сделаю все, чтобы жизнь была полноценной, счастливой, — я знаю, что это смогу.

Четко сформулируйте конкретную цель, движение к которой наполняет жизнь радостью, смыслом. Дети, семья, работа... У каждого тут может быть что-то свое.

Теперь переносимся в будущее.

Четко представьте, что будет с вами через месяц, полтора, два (но не далее). Ощутите себя (внутренне и внешне) таким, каким вам хочется стать. Тут вам намеренно не предлагается ничего из конкретных образных построений. Выстраивайте их самостоятельно. Вам лучше знать свои внутренние и внешние ориентиры. Это ощущение должно органически объединиться с вашим личным *образом молодости и здоровья*, на волну которого в последнее время вы настраиваетесь все легче и легче.

Если удастся провести эту тренировку в нужном ключе, если сумеете искренне и от всего сердца простить всем своим обидчикам давние и недавние обиды, вы почувствуете неимоверное облегчение, сходное, может быть, даже с блаженством. Душа освободится от тяжкого гнета, а «непослушный» *образ молодости* скользнет на освободившееся место, он станет частью вашего существа.

Как действовать дальше, чтобы по неосторожности не спугнуть эту певчую птицу? И, если она посидела и улетела, что делать, чтобы вновь ее подманить?

Вот конкретный совет, или, вернее, напоминание — неустанно воспитывайте в себе чувство самоуважения. Не любя себя, невозможно оценить по достоинству ближнего своего и, следовательно, невозможно понять его и простить. Никогда не думайте о себе плохо. Никогда, даже мысленно, не ругайте, не унижайте себя.

Повторяйте как можно чаще и про себя, и вслух: «Я молод, счастлив, здоров...» и т. д. Это упражнение не зря внесено в заповеди, с которыми мы ознакомились на первом уроке и которые вы теперь должны знать наизусть.

Поразмышляйте о том, что происходит с вами сейчас. Приглядитесь к людям, которые вас окружают (к родственникам, знакомым, друзьям, коллегам). Постарайтесь вычислить тех, кто отзывается о вас плохо, и по возможности держитесь от них подальше, а лучше — прекратите с ними всяческие контакты. Если это невозможно, постарайтесь не принимать к сердцу чужое злословие — постарайтесь понять и простить этих людей.

На работе, в транспорте, на прогулке, на дружеской вечеринке, короче, всегда, везде и — обязательно дома — учитесь искусственно вызывать *образ молодости* и как можно дольше в нем пребывать.

Когда этот образ сольется с вами, само собой придет удивительное чувство душевного равновесия, а следом за ним, также самопроизвольно, станет развиваться еще одно чувство, которое принято называть интуицией. Оно поможет вам верно ориентироваться в данной учебной программе, которая, помимо всего прочего, должна обучить вас самостоятельно отыскивать причины недугов и находить основные пути выхода из нездоровья. При этом свобода в выборе наиболее эффективных действий для достижения душевной и телесной гармонии всегда остается за вами.

Тренировка эмоций — непростое занятие. Иногда человеку бывает трудно настроить себя на нужный лад. Большую помощь в этом может оказать прекрасная книга Г. Н. Сытина «Животворящая сила» (М., 1991). Автор ее разработал метод словесно-образного эмоционально-волевого воздействия на состояние человека, способствующий исцелению многих заболеваний. Ниже приводится одна из целевых установок книги (*настрой на устойчивость в жизни*), которая как нельзя лучше соответствует теме сегодняшнего занятия.

Я настраиваюсь на веселую, энергичную, молодую жизнь и сейчас, и через тридцать лет, и через сто лет. Я настраиваюсь на ежедневную энергичную интереснейшую работу и сейчас, и через тридцать лет, и через сто лет. Я настраиваюсь на постоянное непрерывное развитие всех своих способностей и сейчас, и через тридцать лет, и через сто лет. Вся долголетняя веселая, энергичная, молодая жизнь у меня впереди. Все изменения в моем теле, происшедшие после 17–20-летнего возраста, навсегда уходят из моего тела в пространство Вселенной.

Я рождаюсь энергично развивающимся, несокрушимо здоровым, прекрасным юношей. Свежесть юности рождается в моем лице, все лицо наполняется ровным розовым цветом, ярко-красным цветом наполняются мои губы. Я отчетливо чувствую, как здоровею, крепну. В мою психику, во все мои нервы вливается здоровая стальная крепость, стальная крепость, стальная крепость вливается в психику, во все мои нервы. Каждый прожитый день увеличивает продолжительность моей будущей жизни. И в этом смысле я живу по закону: чем старше — тем моложе.

Я постоянно поддерживаю полную боевую готовность к преодолению всех вредных влияний, разрушающих настрой на веселую долголетнюю молодую жизнь.

Я постоянно подавляю влияние разговоров людей о кратковременности человеческой жизни, о болезнях и смерти, я знаю, что ко мне это не имеет никакого отношения как к человеку, живущему по закону: чем старше — тем моложе.

Я постоянно подавляю все влияния, противодействующие моему нравственному поведению и здоровому образу жизни.

Я постоянно создаю себе мощную защиту от всех вредных влияний.

Я постоянно упорнейшим образом усваиваю настрой на долголетнюю веселую, энергичную, молодую жизнь, на смелое поведение и тем самым создаю себе постоянную мощную поддержку.

Я — человек смелый, твердо уверенный в себе, я все смею, все могу и ничего не боюсь.

Я твердо знаю, что, если все трудности обрушатся на меня сразу, неожиданно, им все равно не сокрушить моей могучей воли. И потому я смотрю миру в лицо, ничего не боясь, и среди всех житейских ураганов и бурь непоколебимо стою, как скала, о которую все сокрушается.

Передо мной открылись все пути, все дороги в долголетнюю энергичную, веселую, молодую жизнь, и это наполняет все мое существо радостью жизни.

Я весь наполнен солнечной радостью жизни, во мне всегда цветет весна. Неугасимый веселый огонек всегда горит в моих глазах, на моем лице всегда веселая светлая улыбка.

Во всем теле огромная сила бьет ключом, все внутренние органы работают энергично, весело. Моя походка веселая-веселая-быстрая, иду — лечу птицей на крыльях.

Я с каждым днем становлюсь веселей и жизнерадостней. Все более прочным становится мое веселое и жизнерадостное настроение.

Неодолимая стальная воля светится в моих глазах, и эту несгибаемую волю чувствуют во мне все люди, которые приходят со мной в соприкосновение.

Торжествующая сила молодости, восторг победы светятся в моих глазах, торжество несокрушимого крепкого здоровья светится в моих глазах. Сияющие юные глаза.

Я сейчас родился долголетним, энергично развивающимся юношей. Я настраиваюсь на развитие всех своих способностей и сейчас, и через тридцать лет, и через сто лет.

Мое мышление становится все более энергичным. Рождается энергичное-энергичное, быстрое, как молния, мышление, рождается яркая, крепкая, молодая память. Все мои способности энергично развиваются.

Беззаботная, безоблачная юность светится в моих глазах, неугасимый веселый огонек всегда горит в моих глазах.

4. Перемещение ощущений в конечностях через позвоночник)

Повторение пройденного (шестой урок, пункт 5). Начинаем с ощущения, которое вызывается хуже. С каждым из ощущений работаем трижды.

5. Первый комплекс медитативных упражнений

Повторение пройденного (шестой урок, пункт 6). С каждым из ощущений работаем трижды по каждой позиции каждого из упражнений комплекса. Стараемся, чтобы одно упражнение плавно перетекало в другое.

6. Трилистники (второй комплекс медитативных упражнений)

Это очень важные упражнения. Они пришли из глубокой древности и позволяют наилучшим образом мысленно промассировать практически все внутренние органы человеческого тела.

Древние врачеватели делили тело человека на участки, напоминающие лепестки лотоса — очень красивого легендарного цветка, которому приписываются необычайные свойства и который считается символом благородства и красоты. Эти участки, сочетаясь по три, образуют трилистники — от гигантских до крошечных. Между лепестками трилистников, по мнению древних целителей, существует определенная взаимосвязь. Мы с вами будем работать с трилистниками гигантскими, которых на теле человека всего три (рис. 19).

Первый трилистник. Его передняя проекция делит грудную клетку на три примерно равные части. Опорой служит нижняя часть грудины (лепестки направлены вверх). Верхняя граница каждого из боковых лепестков полностью охватывает соответствующее плечо (можно туда же включить и руку). Верхняя граница среднего лепестка проходит чуть выше

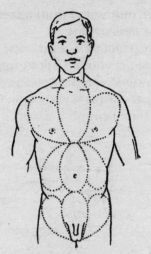

Рис. 19. Трилистники

бровей. В другом варианте она проходит по шее, захватывая щитовидную железу. Спроецировав трилистник на область спины, получаем еще 3 лепестка — задние. Объемы тела между парными лепестками (например, между левым передним и левым задним) и будут нашими рабочими объемами. Именно там и будем передвигать ощущения.

Второй трилистник. Лепестки направлены вниз — от нижнего края грудины (у мужчин — от сосков) — и достигают пупка, деля эту область тела на три равные части. Проекция их на область спины дает задний трилистник. Как уже говорилось, парные лепестки образуют объемы, в которых мы и будем работать.

Третий трилистник. Лепестки направлены вверх, достигая пупка. Опорой им служит промежность (сзади — копчик). Объемы трилистника формируются по прежнему принципу.

Лепестки могут слегка перекрывать друг друга, аналогичный заход за границы допустим и в работе. Работая, не следует акцентировать внимание на отдельных органах: они могут принадлежать сразу двум или нескольким лепесткам.

Для удобства разобьем наш торс на 9 примерно равных частей (лепестков) и пронумеруем их (рис. 20 и 21). Работу начнем традиционно с ощущения **Т**.

Расслабляемся, закрываем глаза. Собираем достаточно большой (величиной с кулак) колобок прият-

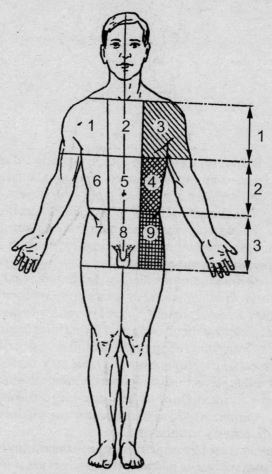

Рис. 20. Лепестки лотоса (вид спереди)

ного, целебного, живительного тепла в объеме 1-го лепестка (3—5 секунд), хорошо прогреваем этот объем (3—5 секунд), не думая впрямую об органах, которые там расположены. Затем перемещаем **Т**-шар левее — в район 2-го лепестка, удерживаем его там (3—5 секунд), хорошо прогревая этот объем, посылая чуть больше тепла в те области, которые больше всего бес-

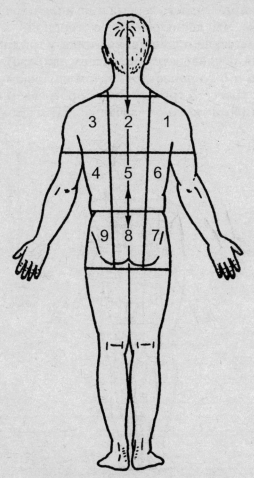

Рис. 21. Лепестки лотоса (вид сзади)

покоят (за грудину, если у вас бронхит; в область шеи, если барахлит щитовидка; выше — в область лица, если воспалена носоглотка, прогреваем ее изнутри, как при работе над улучшением слуха). Затем переходим еще левее — в объем 3-го лепестка, работаем там так же, как в области 1-го лепестка, но с одной (весьма важной) оговоркой.

Внимание! Область сердца ни в коем случае не затрагиваем, мысленно обходя ее стороной.

Далее спускаемся ниже, ко второму трилистнику, прогревая последовательно (слева направо) объемы 4-го, 5-го и 6-го лепестков, затем спускаемся в 7-й лепесток третьего трилистника, прогреваем правый уголок живота (можно тазобедренный сустав) и ухо-

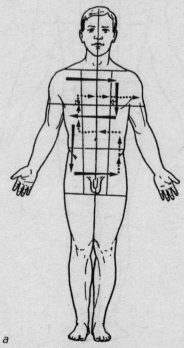

а

Рис. 22. Передвижение ощущений **Т, П, Х** по лепесткам лотоса дим влево — в 8-й лепесток. Тут работаем с особым тщанием — это важная область нашего тела. Прогреваем ее получше, особенно если беспокоит мочевой пузырь или прямая кишка.

Затем переходим еще левее (9-й лепесток), греем левый уголок живота (можно тазобедренный сустав) и тем же путем двигаемся обратно — к 1-му лепестку. Это один цикл перемещения (рис. 22, *а* и рис. 22, *б*).

Повторяем его еще 2 раза с **Т**-ощущением, потом трижды работаем с каждым из остальных ощущений (**П, Х**). Переходы от одного ощущения к другому должны быть плавными, лучше их делать, соединяя крайние ощущения со срединным. Например, по такой схеме.

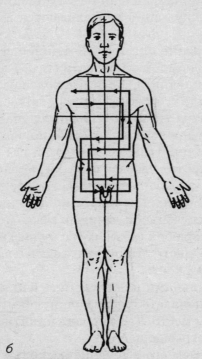

б

Рис. 22. *Продолжение*

1-й и 2-й циклы — **Т.**

3-й цикл — **Т + П** (или 3-й и 4-й циклы).

4-й и 5-й циклы — **П** (или 5-й и 6-й циклы).

6-й цикл — **П + Х** (или 6-й и 7-й циклы).

7-й и 8-й (можно 9-й) — **Х** (или 8-й и 9-й циклы).

Можно работать только на парных ощущениях Т + П и Х + П, если они хорошо вам даются.

Работаем не напрягаясь, с любовью, словно разглаживая и расправляя каждый лепесток изнутри (и все его содержимое). Заканчиваем работу с уверенностью, что ни один участок в заданных областях не остался непроработанным.

7. Большой круг (или «шумный город»)

Упражнение направлено на улучшение работы кишечника. Ощущения передвигаются по кругу (спирали).

Перемещение ощущений лучше всего начинать с правой подвздошной области (там, где начинается толстый кишечник). Если вас более беспокоит тонкий кишечник, можно начать с области пупка, то есть от центра живота. В любом случае передвижение следует производить только по часовой стрелке (рис. 23). Единственное местечко, где допускается вращение против часовой стрелки, — околопупочная область (такое вращение бывает особенно действенным при пониженном тонусе кишечника).

Итак, расслабились, закрыли глаза. Собираем ощущение **Т** в колобок (размером с кулак) в правой подвздошной области. Нащупайте самый выступающий край тазовой кости.

Затем пальцами надавите чуть ближе к середине живота — попадете в подвздошную ямку, это и есть нужное нам место. Тепло очень приятное, целебное, хорошо прогревающее.

Удерживаем его в течение нескольких секунд на месте, затем начинаем перемещать по кругу (по ходу

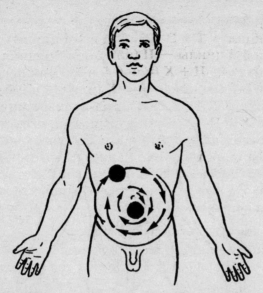

Рис. 23. Упражнение «шумный город». Передвижение трех ощущений, начиная с подвздошной области

толстого кишечника) — вверх, потом левее, потом вниз (рис. 24), потом правее. Так проходим 3—5 кругов, после чего постепенно по спирали сужаем радиус движения Т-шара, приближаясь к области пупка.

Затем от центра живота (все так же — по часовой стрелке) начинаем расширять радиус движения Т, пока не достигнем исходной окружности.

Не прекращая движения, с ощущения Т постепенно переходим на ощущение П, аналогично проходим с ним 3—5 кругов, затем точно так же работаем с ощущением Х.

Выполняя упражнение, старайтесь внутренним взором следить за движением шара, мысленно разглаживайте, расправляйте каждую складочку, каждый выступ петли кишечника, ничего не пропуская, сантиметр за сантиметром; делайте это с любовью, по-хозяйски, проверяя, как обстоят дела.

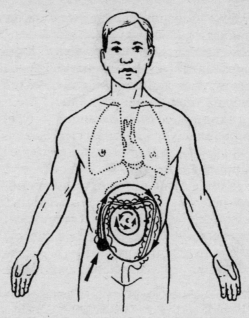

Рис. 24. Упражнение «шумный город». Передвижение трех ощущений по ходу толстого кишечника

Помните, кишечник отзывчив, и в ответ на заботу он может буквально сразу пробурчать что-нибудь вроде: «Все нор-нормально, тр-тр-ранзит тр-ронулся, благодар-рю!»

Проводите бесконтактный массаж очень тщательно, ведь в таком небольшом объеме, как брюшная полость, размещается в среднем около 8—10 метров кишок (тонких и толстых), слизистую оболочку которых могут покрывать до 4 тысяч выростов с микроворсинками (100 миллионов ворсинок на один квадратный миллиметр!).

Если все эти мелкие площади мысленно раскатить по ровной поверхности, они покроют квадрат величиной более чем 2 на 2 метра! Это целое производство, созданное матушкой-природой! Как не влюбиться в такое чудо, как ему не помочь?!!

Работать с кишечником поначалу следует так: один день начинать с **Т**-ощущения, другой — с **Х** (и заканчивать также один день **Т**, а другой — **Х**-ощущением).

Понаблюдайте, какой вариант оказывает наиболее благотворное действие, и в дальнейшем делайте упор либо на тепло, либо на холод.

При гипертонусе (повышенном тонусе) кишечника, как правило, лучший эффект дает работа с теплом. И наоборот, при пониженном тонусе — больше пользы приносит холод.

При склонности к запорам получше обрабатывайте левый лепесток третьего трилистника (левую подвздошную область). Не смущайтесь, если после таких обработок вас будут одолевать поносы (или, если вас постоянно слабило, наоборот). Это, как мы уже говорили, маятник. Он качнулся в другую сторону, но скоро отыщет нейтраль.

Можно было бы, конечно, рассмотреть эту тему подробнее и указать конкретно, каким воздействием снимается тот или иной вид кишечных расстройств, но мы умышленно этого делать не будем. Мы ведь договорились забыть о своих диагнозах. Следует привыкать в дальнейшей работе побольше прислушиваться к своему организму. Он сам подскажет, какую дорогу избрать.

Комплекс «трилистники» и упражнение «шумный город» должны составлять одно целое: закончили с лепестками и тут же перешли на кишечник. На все про все вам отводится 15 минут. Но это — в день обучения. В дальнейшей практике вам придется подсократить это время примерно наполовину. А теперь — отдых! Длительный или коротенький — кому какой по душе.

Задания к следующему уроку

1. Потренируйтесь в тех упражнениях и тех ощущениях, которые у вас пока что не очень идут. Поста-

райтесь программу этого занятия освоить не в три, а в два дня.

2. Не расставайтесь с образом молодости, он должен сделаться вашей сутью.

3. Сведения обо всех изменениях в своем состоянии аккуратно заносите в дневник.

4. Настройтесь на будущую работу.

5. Не переворачивайте страницу, пока не освоите всю программу седьмого урока. Проявите волю — вас ждет приятная весть, но сюрприз вдвойне приятней, если о нем ничего не знаешь.

Урок восьмой

1. Разминка:
   - аутомануальный комплекс (массаж биологически активных точек головы);
   - упражнения для позвоночника;
   - упражнения для суставов рук и ног.

2. Дыхательная медитативная гимнастика (упор на исчезновение шрамов, морщин, а также на возвращение молодости и окончательное оздоровление).

3. Тренировка эмоций (формирование своего идеального образа).

4. Перемещение ощущений в конечностях (через позвоночник).

5. Первый комплекс медитативных упражнений:
   а) сбор и рассеивание ощущений;
   б) «протирка»;
   в) «спираль»;
   г) работа со шрамами.

6. Трилистники и большой круг (можно начать с большого круга).

7. Омоложение лица.

Поздравьте себя! Основные — самые трудные — упражнения учебной программы нами освоены. Но это еще не сюрприз.

Так в чем же сюрприз? А вот в чем.

С сегодняшнего дня мы начнем все чаще и смелее говорить о вещах, которых прежде не то что бы избегали, но в связи с крайней нашей загруженностью и неважным состоянием здоровья предпочитали не касаться впрямую. Между тем этот предмет с древних времен не устает волновать человечество, и имя ему — любовь.

На семинарских занятиях я предлагаю поднять руку тем, кому этот вопрос безразличен. Не поднимается ни одна рука. Уверен, что и вы, дорогие заочники, неравнодушны к заявленной теме. Вы ведь прилежно занимаетесь освоением данной методики. Людям толстокожим, инертным никакие методики не нужны.

Людям пассивным любовь представляется вещью докучной и хлопотной. Их успехи в сфере интимных отношений крайне скудны. И наоборот, люди активные, энергичные, как правило, собирают на этой ниве обильный урожай. Вывод делайте сами, это нетрудно: он напрашивается сам собой.

Что с нами сейчас происходит? Мы от занятия к занятию постепенно повышаем внутренний энергетический потенциал, наша активность неуклонно растет. Говоря проще, мы потихонечку-полегонечку молодеем, и пришло время припомнить, что внешность в любовных вопросах играет очень и очень немаловажную роль.

Сегодняшнее занятие (кому очень хочется, может негромко крикнуть: ура!) как раз в основном и посвящено заботе о нашей драгоценнейшей внешности. В работе вам дается карт-бланш, то есть предоставляется практически полная самостоятельность, но все же с ориентацией по ходу дела на некоторые указания, которые и будут ниже приведены.

Напоминание: не забываем поглядывать на часы.

1. Разминка

Работаем в обычном, присущем нам веселом настрое. Стараемся внести в движения элемент элегантности (10—15 минут).

2. Дыхательная медитативная гимнастика

Упор на исчезновение шрамов, морщин, а также на возвращение вашей молодости и окончательное оздоровление (5 минут).

3. Тренировка эмоций

В работе главенствует положительное начало. Ищем в себе (в детстве, в юности) только хорошее и с помощью вызванных «плюс-эмоций» формируем свой идеальный образ. Мы выглядим, как на самом лучшем своем фото: лицо живое, глаза сияют, на щеках легкий румянец, кожа ровная, гладкая, эластичная... Мы улыбаемся, на душе — предвкушение праздника. Беспричинное, просто нам нравится жить.

Не выходя из образа, плавно переходим к следующему упражнению.

4. Перемещение ощущений в конечностях (через позвоночник)

Работаем, как обычно.

5. Первый комплекс медитативных упражнений

Работаем с нездоровым органом по обычной схеме («сбор–рассеивание» — 5Т, 5П, 5Х; «протирка», «спираль» — 3Т, 3П, 3Х по каждой из плоскостей; работа со шрамами — в привычном режиме). В конце те, кому это необходимо, добавляют упражнения по коррекции зрения и слуха. На всю работу отводится не более 20 минут.

Можно чуть изменить схему работы. Например, пройти все упражнения комплекса на **Т** (добавляя или не добавляя **П**), затем — на **П**, затем — на **Х** (или **Х + П**).

Здесь уместно сказать несколько слов о щитовидной железе. Многие семинаристы интересуются: в чем причина нарушений ее деятельности и как одолеть этот недуг? Особенно женщины, ведь у 90 % из них функции щитовидки явно или неявно расстроены.

Официально причиной таких явлений принято считать недостаток йода, на чем основываются как профилактика, так и лечение заболевания.

Восток (устами, например, Авиценны) говорит, что увеличение щитовидной железы — болезнь добрых (то есть весьма впечатлительных и ранимых) людей. Она, как правило, начинается после сильного стресса. Опрос учащихся подтвердил, что развитию их болезни в большинстве случаев предшествовали неприятные ситуации (несчастье, травма, страх за судьбу близких, за собственную судьбу).

Вот почему на Востоке практически не оперируют эту железу, а стараются устранить причину, вызвав-

шую заболевание. Если это сделано, функции щитовидки приходят в норму за 10—15 дней.

Этим (то есть устранением причин всяческих заболеваний) мы и занимаемся с самого первого дня занятий, но вы можете чуть-чуть помочь своей щитовидной железе, работая с ней, как и с другими органами.
Бывали случаи, когда людям удавалось избежать уже
назначенных операций (с диагнозом: зоб III—IV степени). Вот еще одно доказательство, что запас прочности нашего организма неимоверно велик.

Теперь — небольшой отдых.

6. «Трилистники» и «большой круг»
Работаем в произвольной последовательности. Если
вас больше беспокоит кишечник, можно начать с
«большого круга», затем поработать с 9 лепестками
и опять повторить «большой круг».

На всю работу отводится примерно 15 минут. Но
помните: главное в ней — качество. Лучше сделать
меньше, но «с дорогой душой». Только в этом случае
можно рассчитывать на позитивные результаты.

7. Омоложение лица
Ну вот, кое-то из нас наконец-таки дождался своего
часа!

Если ощущаете в голове тяжесть или боль, не приступайте к работе. Отдохните какое-то время, помас-
сируйте соответствующие точки головы.

Теперь сядьте, закройте глаза, расслабьтесь и настройтесь на радостную волну.

Вы — скульптор, сейчас начнете приводить свою
внешность в порядок. Что может быть приятнее этого
увлекательного занятия! Мысленно разгладьте лицо,
коснитесь щек, расправьте морщинки. Скоро они исчезнут совсем. Конечно исчезнут, ведь стали же исче-

зать шрамы. Морщинка в сравнении со шрамом и вовсе пустяк! Ах, прощайте, маленькие, прощайте!

Чуть улыбаемся, тело блаженствует, душа словно парит. В таком и только в таком состоянии разрешено приступать к этому чудодейственному процессу.

Коротко о том, что с нами будет происходить.

Мысленный самомассаж лица по воздействию весьма сходен с косметическим массажем, но в колоссальное количество раз эффективней. Такой самомассаж активно улучшает и восстанавливает функции периферических рецепторов, а также проводящих путей, усиливающих рефлекторные связи коры головного мозга с мышцами, сосудами и нервами лица, налаживая обратные связи.

Бесконтактный самомассаж вызывает расширение функционирующих и провоцирует раскупорку резервных капилляров, благодаря чему улучшается трофика тканей, усиливается отток венозной крови (равно как и циркуляция лимфы) и активизируется секреторная деятельность сальных и потовых желез.

При этом положительное влияние оказывается не только на кожу лица, но и на весь организм: уменьшаются признаки раздражения коры головного мозга, нормализуется тонус сосудов — понижается артериальное давление, замедляется частота пульса. Кожа лица ощутимо краснеет, температура ее повышается (на четыре градуса — у молодых женщин и на полтора — у дам старше 40—50 лет).

А самое замечательное, что этот массаж можно проводить в любое удобное для вас время и практически в любой обстановке.

Упражнения, омолаживающие лицо (первый день работы)

В этот день выполняются только 4 упражнения, на следующий — еще 7.

1. Поочередно удерживаем ощущения **Т, П, Х** по 3–5 секунд на разных участках лица, строго придерживаясь нижеприведенной последовательности: правая щека, левая щека, лоб, подбородок, нос. Прогревание может быть глубоким. С каждым ощущением работаем 3–5 раз.

2. Сгустком тепла (**Т**), размером с куриное яйцо, обрабатываем различные участки лица (в соответствии с рис. 25). Последовательность та же: правая щека, левая щека — до мочек ушей, затем лоб, подбородок, нос. Работаем 3–5 раз с каждым ощущением — по 3–5 секунд.

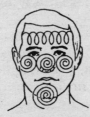

Рис. 25. Второе упражнение для омоложения лица

3. В соответствии с рис. 26 поочередно передвигаем по шее ощущения **Т, П, Х** (размером с куриное яйцо). Начинаем с середины передней поверхности шеи, спускаясь (от подбородка) на несколько сантиметров ниже ключицы (3–5 раз, 3–5 секунд).

Рис. 26. Третье упражнение для омоложения лица

4. Выполняем аналогично вышеописанному упражнению, но в соответствии с рис. 27. Двигаем ощущения по передней поверхности шеи снизу вверх и обратно (3–5 раз).

Рис. 27. Четвертое упражнение для омоложения лица

Урок девятый

1. Разминка:
   - аутомануальный комплекс (массаж биологически активных точек головы);
   - упражнения для позвоночника;
   - упражнения для суставов рук и ног.

2. Дыхательная медитативная гимнастика.

3. Тренировка эмоций (полное слияние со своим идеальным образом, интуиция).

4. Первый комплекс медитативных упражнений (на фоне медитации молодости).

5. Трилистники.

6. Большой круг.

7. Работа с образом «третьей руки».

8. Омоложение лица (с предварительной коррекцией самочувствия — второй день занятий).

Продолжение восьмого урока.

1. Разминка
Работаем в обычном порядке.

2. Дыхательная медитативная гимнастика
Работаем, настроившись на волну молодости и здоровья *(образ молодости)*. Дышим через органы, которые нас беспокоили (или еще беспокоят).

3. Тренировка эмоций
О пользе таких тренировок мы уже говорили, но сегодня попробуем взглянуть на этот предмет под новым углом.

Человек имеет три ярко выраженных уровня восприятия окружающей действительности:

а) эмоциональный;

б) физический (телесный);

в) интеллектуальный.

Все эти уровни (работая иногда правильно, иногда искаженно) тесно связаны между собой и, в сущности, представляют единую систему. Почему же мы их разделяем? Потому что их реакции на внешние раздражители очень различны как по скорости, так и в качественном отношении. Интеллекту в этом ряду отдается приоритет, ибо он не только руководит нашими действиями, но и способен осуществлять контроль над нашими чувствами. Помимо этого, его влияние распространяется даже на клеточную активность, что доказано современной наукой. Другими словами, тренировать наши эмоции без интеллектуального посыла мы бы никак не смогли.

Когда основные эмоции (гнев, радость, счастье, тревога, печаль, страх) находятся в гармонии, в нас нет места внутреннему разладу, главенствующим ощущением становится удовлетворенность мирозданием и собой, что, в свою очередь, дает почву для воцарения в нас основополагающей эмоции — всеобъемлющего чувства приязни или любви. В таком состоянии человеку чужда агрессивность, он умиротворен и, следовательно, здоров. Длительное преобладание любой из основных эмоций нарушает гармонию и приводит к болезни тела. Эту взаимосвязь можно изобразить так:

Когда эмоции, интеллект и физика человека находятся в состоянии гармонического единства, его организм функционирует в оптимальных условиях и на уровне подсознания стремится этот оптимум сохранить, подсказывая хозяину наилучшие пути выхода из неблагоприятных ситуаций. Иными словами, это стремление организма к оптимуму (когда оно достаточно развито) и есть тот самый внутренний голос, подсказывающий нам правильное решение в трудный момент. Это и есть та самая интуиция, еще называемая шестым чувством в ряду основных наших физических чувств.

Считается, что шестое чувство присуще в основном женщинам (мы так и говорим — женская интуиция), но оно необходимо каждому из нас. Без развитой интуиции невозможна творческая работа, человек без интуиции плохо справляется с жизненными проблемами, он не уверен в себе и, не зная, как поступить, становится агрессивным. Он глух, он не слышит подсказок, он завалит любой мало-мальски серьезный экзамен, ему следует всерьез заняться собой. А именно — тренировкой своих эмоций. Когда вы научитесь приводить эмоции к гармоническому единству, организм привыкнет и не захочет терять это состояние.

Таким образом, тренируя эмоции, мы способствуем скорейшему запуску механизма автоматической настройки организма на оптимум, то есть обретаем способность в любых ситуациях избирать правильный путь.

Уяснив это, переходим к формированию своего идеального образа. Работаем самостоятельно, сверяясь с соответствующими позициями 7-го урока.

4. Первый комплекс медитативных упражнений (на фоне медитации молодости)

5. Трилистники

6. Большой круг

Идем по наработанным схемам. В случае надобности меняем местами «трилистники» и «большой круг».

7. Работа с «образом третьей руки»

Эта работа нравится практически всем ученикам. Во всяком случае, на первом этапе ее освоения. В ней, как отмечают многие, больше экзотики, чем в уже ставших привычными перемещениях ощущений.

Итак, закрыли глаза, сидим удобно. Все мышцы тела приятно расслаблены, руки свободно лежат на коленях. Все внимание сосредоточено на кистях рук. Ощущаем легкую пульсацию в кончиках пальцев. Теперь переносим внимание только на правую кисть. Ощущаем, как по ней струится приятное, пульсирующее, чуть покалывающее тепло. Мысленно начинаем сжимать и разжимать кисть. Так, словно мнем тесто или размягчаем брусок пластилина, — не спеша, но с активным усилием. Вспомните дремлющую кошку, как она конвульсивно сжимает лапу, запуская коготки в одеяло, и вновь растопыривает ее.

Мысленно переносим эту кисть в район нездорового органа (кроме области сердца и головного мозга), потом перемещаем ее в трех плоскостях, как при «протирке». Бережно разминаем, ощупываем, массируем больной орган: убираем шлаки, ненужные ткани, разгоняем кровь.

Затем таким же образом обрабатываем другой объект. Мы заботимся, чтобы наша «третья рука» источала целебную энергию, способную идеально оздоровить прихворнувший орган.

Работа с «третьей рукой» очень хороша для снятия чувства усталости и улучшения лимфообращения. Она весьма эффективно влияет на деятельность кишечника, желчного пузыря. Проводить ее следует по определенной схеме, которая приведена ниже.

Работа с голенью

Собираем тепло, прогреваем правую голень. Следим, чтобы все участки были равномерно прогреты.

Когда голень достаточно разогреется, начинаем мысленно массировать ее «третьей рукой». Нежно и ласково, но с некоторой настойчивостью массируем мышцы, расправляем кожу (изнутри и снаружи), чуть даже ее «царапая» (так котята лапками теребят мать).

Теперь вспомним, как раздувается детский воздушный шар. Представим, что приток свежей крови точно так же расправил кожу голени, после чего начнем «отсасывать» из нее «воздух». Кожа морщится, обвисает, на ней появляются складки. Массируем их, растягиваем. Излишки кожи мысленно убираем, отбрасываем в сторону — прочь. Их становится все меньше.

Затем охлаждаем голень, обдуваем прохладным воздухом. Больше, больше... Кожа от холода становится бархатистой, матовой, чистой... В мышцах появляется упругость, свежесть, как после прогулки в морозный денек.

Встали со стула, сравнили, как чувствуют себя правая и левая голени. Не правда ли, разница весьма ощутимая? Давайте приведем в порядок вторую (левую) голень.

Этапы работы:

1) **Т**;
2) **Т** + массаж;
3) расширение объема;
4) отсос;
5) прохлада;
6) фиксация холодом (**Х**).

Мы хорошо потрудились. На сегодня достаточно. Работу с «третьей рукой» продолжим на следующем уроке, а сейчас перейдем к занятию, также во всех отношениях замечательному.

8. Омоложение лица (второй день работы)

К работе приступаем только после коррекции самочувствия, о которой мы говорили на прошлом уроке.

1. Последовательно вызываем ощущения (**Т, П, Х**) на заданных участках лица и шеи («сбор красавиц»):
   а) лоб;
   б) правая щека;
   в) левая щека;

г) подбородок (до щитовидной железы);

д) нос;

е) передняя часть шеи (мысленно делим эту область
на 4 участка и работаем последовательно с каждой четвертью).

Начинаем с **Т**. Каждое ощущение на каждом из заданных участков удерживаем 3–5 секунд, повторяем
упражнение 3 раза. Через 10–15 минут после выполне-
ния задания в каждом из обработанных участков должно самопроизвольно возникнуть ощущение **Т + П**.

2. Последовательно повторяем упражнения 2, 3, 4
прошлого урока («большая прогулка»).

3. Вызываем четкое ощущение **Т + П**, удерживаем его
несколько секунд, затем резко меняем на **Х + П**
(яркость **Т** при этом стараемся увеличить в 2 раза).

4. Мысленно стягиваем и растягиваем кожу заданных участков лица в следующем порядке: лоб,
щеки, область козелка, подбородок, область носа,
область век (до бровей и на 2–2,5 сантиметра ниже
нижнего века), шея (последовательно в каждой
четверти). Повторяем 4–5 раз.

5. Малое стягивание и растягивание кожи в движе-
нии («прогулка мышей»). Стягивание проводим
легко, растягивание — грубо, сильно. Желательно
с добавкой ощущения **П**, сходного с пробежкой
мышиных лапок (последовательность см. в упр. 4).
Повторяем 3–5 раз.

6. Мысленно разглаживаем, растягиваем, уплотняем
кожу. Движения направлены в стороны от морщин
и перпендикулярны их положению:

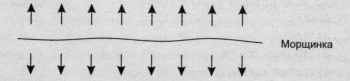

Морщинка

7. Медитируем образ молодости. Представляем себя молодыми, красивыми. Иными словами — закрепляем успех.

Пройдет совсем немного времени, и цвет вашего лица намного улучшится, морщины сойдут на нет, а процесс омоложения кожи распространится на весь организм.

Милые дамы! Задумывались ли вы, какую роль в жизни людей играют интимные отношения? Если нет, разрешите вас чуточку просветить. Начнем с того, что от их *качества* напрямую зависит наше с вами здоровье. Да-да, не удивляйтесь, это именно так. Причем наиболее тесная связь «дня» и «ночи» выявлена как раз у женщин. Бедняжки с неустроенной личной жизнью гораздо чаще, чем их более удачливые подруги, подвержены различным хроническим заболеваниям и болезням сердечно-сосудистой системы.

Воспалительные процессы также доставляют им много больше страданий, не говоря уже о том, что 60 % женских неврозов развивается именно на почве половой дисгармонии.

Мужчины не столь зависимы от этого фактора, но на орехи достается и им. Замечено, что мужская секснеудачливость развивает в страдальцах комплекс неполноценности, сопряженный с неврозами, язвенными и сердечными заболеваниями, с такими серьезными проблемами, как инфаркт миокарда, инсульт.

Что вносит разлад в интимные отношения любящей пары?

Европа говорит: семейные обстоятельства, быт.

Восток говорит: вы.

«О женщина, если твой муж находится на троне уважения людского, этот трон построен твоими руками; если же он барахтается в жиже людского презрения, это болото сотворено лишь тобой».

Это изречение из книги «Канон семейного счастья» как нельзя лучше показывает, что древневосточные мудрецы видели в женщине огромную силу, способную как вознести мужчину к зениту мирской славы, так и низвергнуть его в грязь.

Итак, милые дамы, сила у вас есть, следует только разумно ею распорядиться, чтобы ввести семейные отношения в нормальную колею. Как это сделать?

Во-первых, следует перестать беспокоиться по поводу своих внешних данных. Глядя в зеркало, не смейте вздыхать: ах, я такая уродка (толстуха, корова, моща, скелетина и т. д. и т. п.)! Сексуальная привлекательность женщины далеко не всегда заключена в ее красоте, и статистика это блистательно подтверждает.

Бесчисленные опросы, проводимые среди представителей «сильного» пола, неоспоримо доказали, что мужчин в женщине чаще всего притягивает «изюминка» (даже дефекты), а вовсе не совершенная законченность форм. Так что не смейте даже в мыслях охаивать ту телесную конституцию, которой вас одарила мать-природа.

Он (ваш возлюбленный, ваш единственный, ваш супруг) никогда не сошелся бы с вами, если бы ему все это было не по нутру. Он, скажем больше, давно бы расстался с вами, если бы его что-то к вам не тянуло. Что же? На этот вопрос нет однозначного ответа. Сколько мужчин, столько «приманок». Каждая женщина должна знать свой «магнит». И умело им пользоваться в своих целях. Тут нет ничего зазорного, ведь конечная цель этих уловок — достижение гармонического единства семьи.

Во-вторых, не заботясь о своих внешних данных вам следует неустанно заботиться о своей внешности. Мужчина рационален и по натуре — аптекарь. Он постоянно что-либо взвешивает и, глядя на проходящую мимо нарядную, ухоженную женщину, тут же бросает на другую чашу весов вас. Не ту, которая собралась на званый ужин или в театр, а ту, которая бродит по дому нечесаная, в стоптанных шлепанцах и драном халате.

Как вы думаете, в чью сторону качнется стрелка весов? Мужчина ведь туповат, ему дела нет, что та принаряженная фемина дома тоже позволяет себе ходить в чем придется. Он верит тому, что в данный момент видит, и удручается, потому что чувствует себя в проигрыше, потому что вы его подвели.

Ребенку, как известно, нужны лучшие в мире родители. Мужчине, как большому ребенку, нужна лучшая в мире жена. Выводы, милые дамы, делайте сами.

Идем дальше — по заветам и заповедям «Канона семейного счастья». Ухоженная, хорошо пахнущая и принаряженная супруга — это прекрасно, но и самое вкусное блюдо в конце концов приедается. «Канон» это учитывает и гласит, что внешность, милые дамы, раз в 40 дней необходимо менять!

Зачем?

Чтобы в какой-то мере унять внутреннее подсознательное стремление мужчин к полигамии (многоженству). Человек вовсе не родственник лебедя, которому генетически предназначено выбрать одну-единственную подругу на всю свою пернатую жизнь. Наука — увы! — приписывает нам родство с обезьяной. А обезьянье стадо делится на гаремы, в которых властвуют многоженцы-самцы.

Мужчина, конечно, не обезьяна, а существо более-менее цивилизованное, но физиолгия нет-нет да и склоняет его к «поискам новых ощущений», чреватых многими неприятностями (например, венерическими заболеваниями).

Об этих подводных камнях хорошо знали древние мудрецы и, чтобы уберечь от них семейную лодку, предписывали женщинам почаще меняться. Этот совет, милые современные дамы, нелишне взять на вооружение и вам. Равно как и другой не менее разумный совет — не спать более 40 дней в одной и той же постели.

Это не значит, что вам следует ежемесячно выкидывать на помойку одну тахту за другой. Но кардинально менять убранство семейного ложа вам все же придется, если вы хотите внести в интимные отношения с мужем дополнительный элемент новизны.

Можно также передвигать в комнате мебель или, чтобы в корне сменить обстановку, отправиться в кругосветный круиз, можно, в конце концов, на какое-то время обнести постель балдахином... Короче, можно придумать многое, было бы, как говорится, желание. Призадумайтесь, милые дамы, проявите фантазию — для вас ничего невозможного нет!

«О женщина! Если ты хочешь, чтобы супруг твой находился возле семейного очага, поддерживая огонь в нем, создай все условия, чтобы он ощущал блаженство, равного которому ему нигде не найти!» Так сказал великий Фирдоуси.

В этих словах, помимо глубинного философского смысла, явно просвечивает одна вполне утилитарная мысль. Милые дамы, почаще хвалите своих мужей, заглядывайте им с обожанием в глаза и никогда не перечьте, старайтесь угадывать каждое их желание! Мужчины очень нуждаются в таком отношении, им крепко достается во внешнем мире, где синяки и шишки валятся на них со всех сторон.

Дайте бедняге хотя бы дома почувствовать себя господином, всесильным властителем, пусть он покомандует вами вволю, вот увидите, он скоро растает. Он скоро утихомирится и сам станет с обожанием заглядывать в ваши глаза! Вы будете посиживать у него на руках, а если почему-либо не захотите его видеть — на голове, и он это с великой радостью стерпит.

Почему? Потому что он будет думать, что является полновластным хозяином в доме.

А на самом деле кто в доме хозяин?

Ну конечно же — вы!

Урок десятый

1. Разминка:
   - аутомануальный комплекс (массаж биологически активных точек головы);
   - упражнения для позвоночника;
   - упражнения для суставов рук и ног.

2. Дыхательная медитативная гимнастика (с упором на образ молодости).

3. Тренировка эмоций.

4. Перемещение ощущений в конечностях (через позвоночник).

5. Первый комплекс медитативных упражнений (на фоне медитации молодости).

6. Большой круг.

7. Трилистники.

8. Работа с образом «третьей руки».

9. Омоложение лица.

Ну что ж, у нас опять имеется повод себя похвалить. Большая часть программы успешно пройдена! Скажем без ложной скромности, что таких, как мы, — поискать, и, не теряя набранных темпов, двинемся дальше.

Внимание! Только сегодня и только для дела вспомним, с какими диагнозами мы приступили к работе, и сравним прежние и сегодняшние показатели нашего состояния. Результаты сравнения честно и объективно запишем в дневник.

1. Разминка

2. Дыхательная медитативная гимнастика (с упором на образ молодости, не забывая «любимые органы»)

3. Тренировка эмоций (тренируем умение их контролировать и по своему усмотрению направлять — принцип маятника)

4–7. Работа с ощущениями по заданной программе
Проявите максимум самостоятельности. Вы уже знаете, исходя из индивидуальных особенностей, сколько времени вам требуется на то или иное упражнение и сколько раз его повторить. Руководствуйтесь интуицией.

Между упражнениями дозволены перерывы (на 2–3 минуты, не более), чтобы снять утомление от неподвижной позы. Потянитесь, зевните с наслаждением — вспомните, как делают это, выгибаясь дугой, кошки. У них трепещет от удовольствия даже кончик хвоста.

Работайте, не расставаясь со своим индивидуальным образом молодости. Вы молоды, здоровы, чисты телом и духом. В вас нет места ничему недостойному. Окончив последнее упражнение, сделайте небольшой перерыв.

8. Работа с образом «третьей руки»
(мысленный массаж конечностей, позвоночника, а также внутренних органов, лица и шеи)

Можно работать двумя воображаемыми руками, то есть мысленно массировать правую половину тела правой, а левую — левой рукой.

Массаж проводится вкупе с ощущениями **Т + П** и **Х + П**.

Начинаем с **Т**. Прогреваем правую кисть (или обе кисти), готовя ее (их) к массажу. Мысленно сжимаем и разжимаем пальцы, перемещаем руку туда, где собираемся работать, например, в область живота. Массируем легко, неторопливо, рука как бы увеличивается в размере. От всех участков стараемся получить позитивный отзыв. Движения разглаживающие, поглаживающие.

Затем переходим на ноги — идем по бедру одной из ног до стопы, возвращаемся обратно, через низ живота переходим на другую ногу, работаем аналогично и возвращаемся в область живота.

Затем переключаем все внимание на область позвоночника. Мысленно массируем эту область, как бы увеличивая размеры руки. Делаем проходы по позвоночнику вверх-вниз, словно прощупывая все тело насквозь, то есть мысленно охватываем и позвоночник, и внутренние органы (кроме сердца!), чтобы получше промассировать все и особенно те места, которым следует уделить больше внимания (чтобы там оставалось ощущение тепла).

Далее поднимаемся до плечевого пояса, переходим на руки, проходим их полностью до кончиков пальцев (охватывая все, включая кожу), возвращаемся в область шеи, работаем там, массируем кожу, щитовидную железу... Поднимаемся выше, в область лица, хорошо массируем носоглотку, миндалины, десны, кожу лица — разглаживая их, разравнивая, как бы охлопывая пальцами (кончиками воображаемых пальцев, они у нас очень чувствительны) и снаружи, и изнутри. Делаем это до появления чувства тепла.

Затем вновь переходим на шею, массируя ее сильней, чем лицо, не забываем область ушей, кожу и — еще раз — щитовидную железу. Нуждающиеся в улучшении слуха могут промассировать область ушей изнутри (не сдерживаясь, активно), те, кто нуждается в коррекции зрения, — глазные яблоки (но очень нежно, слегка, осторожно, поделикатней).

Далее вновь опускаемся к области груди, к животу, массируем каждый орган, чтобы ничего не забыть (легкие, кишечник, желудок и т. д.). Заканчиваем работу в области нездорового органа.

Область сердца (еще раз напоминаю) обходим! Мысленно благодарим его за все, что оно для нас делает, и пробираемся стороной. Работаем, настроившись на образ молодости, на образ идеально здорового тела.

Массируем сначала слегка, затем сильнее (там, где это нужно и где это можно), но так, чтобы не возникало чувства общего дискомфорта. При этом может появляться легкая болезненность в области не очень здорового органа, но это не страшно. Это отклик на вашу заботу о нем.

Так работаем 3—4 минуты с **Т + П**, затем 3—4 минуты с **Х + П**. Стараемся уложиться в заданное время, проходим 1—2 раза по всему телу, основное внимание уделяя участкам и органам, которые нас беспокоят.

9. Омоложение лица

Работаем по программе первого дня. Не спешим, сегодня для нас главное — качество.

1. Закрываем глаза, полностью расслабляемся, настраиваемся на очень приятный процесс. Начинаем с тепла, чтобы получше подготовить лицо для дальнейшей работы. Не сдерживаемся. Собираем **Т**-шар в течение 3—5 секунд (как обычно) и в знакомом порядке начинаем передвигать по лицу. Представляем кому что ближе: морозный воздух, от которого горят щеки; баню, если мы любим попариться. Чувствуем, как кожа лица начинает пылать от жара. Ее даже чуть пощипывает, покалывает, она напрягается, разглаживается и чуть-чуть пульсирует, омываемая горячей волной крови...

Прогреваем таким образом лицо до 3 раз, не спеша, с удовольствием и благорасположенностью к себе.

2. Теперь, когда лицо полностью прогрето, мысленно начинаем перемещать по нему ощущения, начиная с **Т**, в последовательности, предусмотренной программой первого дня работы. Стараемся пройти все подряд, ничего не пропуская, при этом словно массируя обрабатываемые участки. Массируем поглубже, не сдерживаясь, особенно нос (можно и носоглотку, например, при тонзиллите), щеки (при гайморите), надбровные области (при фронтите). Отдача от таких прогреваний гораздо более качественная, чем от некоторых физиопроцедур.

3. После обработки лица переходим на шею, работаем точно так, как это описано в аналогичном уп-

ражнении 8-го урока. Помним, что кожа на шее грубее, толще, чем на лице, а кровеносных сосудов в ней меньше. Да и внимания этой золушке обычно недостает. Если за лицом мы еще кое-как следим, то на шею нас уже не хватает, и она нам порой мстит, беспощадно выдавая наш истинный возраст. Поэтому теперь, с опозданием на много лет, мы воздаем ей должное, наверстывая упущенное.

Массируя шею, не сдерживаем интенсивности ощущений, представляем внутренним взором подкожную мышцу и тоже проводим активный ее массаж. Доходим даже до боковых поверхностей шеи — на уровне мочек ушей, захватывая мысленно при этом и кожу нижней челюсти.

4. Меняем направление перемещений, в соответствии с рис. 27 восьмого урока, и работаем в манере, аналогичной вышеописанной.

Чередование ощущений обычное — **Т, П, Х**. Можно также работать и по другой схеме: сначала выполнить все четыре упражнения с **Т**, затем с **Т + П**, затем с **П** и плавно перейти к **Х** (можно через **П + Х**).

Когда вы приобретете необходимые навыки, омолаживающий бесконтактный массаж станет занимать у вас совсем мало времени, и делать вы его будете, когда и где вам удобно, и так часто, как вам это заблагорассудится.

Не забывайте только выполнять все упражнения тщательно и с удовольствием, находясь в прекрасном расположении духа (это очень важный момент). Получше представляйте места, которые обрабатываете, любовно расправляйте, разглаживайте свою замечательную кожу, свои эластичные, энергичные, симпатичные мышцы (и все остальное), хвалите себя за качественную работу, словно любуясь ею со стороны.

Как известно, лицо человека украшают глаза. Что делать, чтобы всегда сохранять их чистыми, светлыми? Мы много читаем и, что греха таить, частенько посиживаем у телеэкрана. Наши глаза устают, в них появляется краснота. Быстро убрать ее (а заодно и усталость, и чувство тяжести в голове) вам помогут несколько нехитрых приемов шиацу:

- кончики трех пальцев расположите под бровями (по верхнему краю глазницы) и трижды надавите на эту область (затрачивая примерно по 5 секунд на один нажим); старайтесь, чтобы ногти не касались кожи, направляйте движение вверх;
- аналогично поработайте с нижним краем глазницы, направляя движение вниз;
- подушечками больших пальцев давите на веки (примерно 10 секунд).

Необходимые напоминания

Вы только-только шагнули в сторону молодости, вам необходимо двигаться дальше, удерживая в голове основные установки данной методики. Переберите в памяти заповеди и запреты, изложенные в начале книги, а лучше вновь перечитайте их.

Всегда помните:

- время тренировки не должно превышать 20 минут;
- тренироваться можно только один раз в день, а в неделю — не более 3—4 раз, делая при этом два перерыва (один из них — двухдневный, например суббота и воскресенье).

Перетренировки недопустимы! Они могут свести на нет все усилия.

А сейчас продолжим разговор о любви. О той, «что движет солнце и светила», как сказал Данте, и о вполне человеческой, реальной, земной.

Вторая за рубежом означается емким понятием «секс». Это слово сейчас прочно вошло и в наш обиход, потому что запретный плод сладок. Как известно, никакого секса в недавней нашей с вами действительности не было вообще. Теперь от него просто некуда стало деваться. Телеэкран, газеты, журналы, книги, кино- и видеофильмы осыпают нас таким ворохом секс-информации, что, кажется, на эту тему больше нечего и сказать.

А поговорить есть о чем, и, более того, в таком разговоре назрела настоятельная необходимость, ибо уровень упомянутой информации удручающе низок. Ибо она (эта информация) в основном трактует человеческую любовь как чисто физический процесс, сводящийся к набору нехитрых (по большей части порнографических) позиций и телодвижений. Нам вдалбливают, что в акте совокупления есть нечто грязное, постыдное, недозволенное, а посему весьма и весьма привлекательное. Духовная сторона вопроса при этом напрочь отбрасывается, и человечество в этом ракурсе выглядит, как огромное стадо похотливых самок и перевозбужденных самцов.

Между тем слово «секс» гораздо шире той трактовки, что нам предлагается. Оно в англоязычном сознании означает прежде всего «пол» (мужской или женский) и относится ко всем проявлениям интимных взаимоотношений между людьми, включая эмоциональный и духовный аспекты, без которых соитие любящей пары становится простым отправлением физиологических нужд.

«Ну и ладно, а нам и так хорошо, — может возразить кто-нибудь. — Все равно это очень приятное дело. Раз-два! — справили физическую нужду и потопали без хлопот на работу. Потом пришли, поужинали, и опять перед сном по-быстренькому — раз-два! Живем, никого не трогаем, кому от этого плохо?»

Вот ответ: прежде всего — вам!

И дело тут даже не в колоссальнейшем обеднении эмоционально-духовной области супружеской жизни. Дело в том, что эти «раз-два» наносят как физическому, так и душевному здоровью обоих супругов огромнейший вред. Мужчина в конце концов теряет потенцию, а какой букет заболеваний приобретает сексуально неудовлетворенная женщина — мы уже говорили, не будем сейчас повторять.

Половое влечение — могучий инстинкт, без которого человеческий род давно прекратил бы существование. К счастью, он ярко выражен буквально в каждом из нас. И все же следует умело пользоваться сложнейшей механикой, дарованной природой, иначе она заржавеет, покроется пылью и наградит своих незадачливых владельцев приходом преждевременной старости. Мудрые люди древности знали об этом и культивировали искусство половой близости с давних времен.

Современный мир, к сожалению, отвернулся от этих знаний, но они сохранились в бесценных книгах и принесут немало пользы тому, кто отважится в них заглянуть. Совершим такой познавательный экскурс и мы. Нас ждет знакомство с древнекитайским учением «дао».

Почему мы выбрали именно Китай, а не какую-либо другую страну? Потому что, по словам выдающегося европейского ученого и дипломата Р. Х. ван Гулика, именно там издревле сложилось особое отношение к любви и половой жизни, «считавшее половой акт частью порядка в природе». Обитатели Поднебесной империи «никогда не связывали его с чувством греха или нарушением морали. Это привело к тому, что половая жизнь Древнего Китая была в целом здоровой, замечательно свободной от патологических ненормальностей и нарушений, обнаруженных во многих других древних культурах».

Даоизм — философия терпения и гармонии — зародился в незапамятные времена. В последнее время интерес к этому учению возрастает. Мудрость учения «дао» осознается современными людьми не только в Китае и на Востоке, но и в Европе, следовательно, будет нелишним и нам «отразиться в водах» этой реки.

Начало широкого распространения идей дао связывают с именем Лао-цзы, ибо он еще в VI веке до н. э. изложил основные принципы этой философии в книге, названной им «Дао-дэ-цзин» (Книга о Пути и его проявлениях). Главная мысль учения заключается в том, что в существующей системе вещей мы, люди, всего лишь крохотные, незначительные и легкоуязвимые существа. Если мы не будем вести себя осмотрительно и не найдем способов слиться в гармонии с бесконечной силой природы, значит, нам нечего надеяться на долгую жизнь. Бесконечная сила природы — это и есть дао (что переводится на русский язык как «путь»).

Громадное дерево растет из крошечного побега.

Девятиэтажная башня рождается из кучи земли, Путешествие в тысячу миль начинается с одного шага. [1]

---

[1] Стих из «Дао-дэ-цзин».

В Древнем Китае сексуальная жизнь человека изучалась весьма тщательно. Как правило, наблюдения велись третьим лицом и скрупулезно фиксировались.

Многие исследования древних китайцев в этой области сейчас подтверждаются наработками современных, в частности американских, ученых. К примеру, современная американская сексология одобряет практику произвольных задержек эякуляции (семяизвержения) в течение полового акта, ибо такие задержки продлевают соитие, что дает возможность влюбленной паре наиболее полно насытить свою чувственность.

Того же мнения придерживались и древнекитайские врачеватели. «Кавалер должен развивать в себе способность к задержке семяизвержения до полного удовлетворения своей дамы... Идеальная пропорция для свидания: 2—3 выброса семени на 10 совокуплений». Так, например, поучал своих учеников один из важных столичных медиков Поднебесной империи VII века.

Рассмотрим три основных понятия дао любви.

Первое. Мужчине следует отыскать разумный режим контроля над выбросом семени — в соответствии со своим возрастом и физическим состоянием. Это позволит ему во время соитий всемерно утолять свою страсть и наилучшим образом отвечать всем желаниям своей возлюбленной.

Второе. Выброс семени, особенно неконтролируемый, — не самый экстатический момент в интимной жизни мужчины. Контролируя семяизвержение, мужчина может открыть для себя в близости великое множество более приятных сторон.

Третье. Женщина на ложе любви должна быть полностью удовлетворена. Этот принцип вообще со-

ставляет основу древнекитайской любовной философии. Даосы придерживались мнения, что сексуальная гармония приводит нас к единению с бесконечной силой природы, которая, в их представлении,
тоже имеет сексуальные черты. Например, земля —
это женщина (инь), а небо — мужчина (ян); взаимо-
действие между ними составляет мир в целом.

Рассмотрим подробнее древнекитайскую технику
торможения (запирания) семени, т. е. технику задержки эякуляции. Она, собственно говоря, несложна.
Нетерпеливому мужчине потребуется для ее освоения около 20 дней практики, более сдержанный и со-
бранный человек добьется желаемого результата где-
нибудь в 10 дней.

Когда мужчина во время соития начинает чувство-
вать, что приближается крайний момент, ему следует одним быстрым движением приподнять талию,
вытащить из лона возлюбленной свой «нефритовый
пик» (фаллос) примерно на дюйм и замереть в таком
положении без дыхания. Затем он должен глубоко
вдохнуть диафрагмой и одновременно втянуть низ
живота, словно сдерживая позывы к малой нужде.

Древнекитайские эксперты советуют ему в эти
мгновения размышлять о великой ценности своего
семени (чжин) и о том, что его нельзя разбрасывать
беспорядочно. При глубоком дыхании возбуждение
вскоре уляжется, и кавалер снова сможет вернуться
к приостановленному процессу.

Тут очень важно погасить движение чжин в самом
его начале, иначе семя может не вернуться в прежний
объем, а войдет в мочевой пузырь или в почки. Это
недопустимо. Поэтому лучше отступить чуть раньше, чем опоздать.

Практикуя такой метод, мужчина достаточно быстро обретет способность почти автоматически контро-

лировать эякуляцию, не позволяя своему «пику» даже расслабиться. Он сможет продолжать битву на ложе любви неопредленно долгое время, полностью сохраняя энергию и чувствуя себя на вершине блаженства. Китайская философия не советует любовнику проливать любовный нектар, пока он не сделает по крайней мере 5 тысяч толчков.

Мужчины — задумайтесь, дамы — примите к сведению эти слова.

Ниже приводятся несколько упражнений, также направленных на увеличение мужской потенции. Чтобы добиться желаемого результата, мужчине необходимо выполнить следующее.

1. Ежедневно (дважды или трижды в день), лежа на спине, сокращать и расслаблять мышцы ануса (до 50 раз, затрачивая на каждое сокращение несколько секунд).

2. Выполнять то же самое, но в коленно-локтевой позе (стоя на коленях, локтями упершись в пол, голова опущена, тело расслаблено).

   Желательно постепенно увеличивать скорость произвольных пульсаций ануса и в конце концов довести ее до одного сжатия-разжатия в секунду (под счет раз-два, раз-два и т. д.).

3. Однажды усилием воли прервать мочеиспускание и запомнить, какие мышцы в этом участвовали, а затем научиться работать этими мышцами так же, как мышцами ануса, то есть произвольно сокращать их и расслаблять. (Делать ежедневно, до 40 сокращений 3—5 раз в день, через 5—6 дней можно прерваться на 2 дня.)

4. Вызывать ощущение тепла в области мочевого пузыря (мочеиспускательного канала, ануса, копчика) в соответствии с основными правилами методи-

ки. Ощущение **Т** можно сочетать с **П**, затем можно работать с **Х** и **Х** + **П**. Удерживать ощущения по 15—20 секунд, повторять до 10 раз.

5. Производить массаж мошонки и яичек: яички одновременно сжимать в ладонях до появления неприятной болезненности. Повторять ежедневно, столько раз, сколько вам лет.

Урок одиннадцатый

1. Разминка:
   - аутомануальный комплекс (массаж биологически активных точек головы);
   - упражнения для позвоночника;
   - упражнения для суставов рук и ног.

2. Дыхательная медитативная гимнастика.

3. Тренировка эмоций.

4. Первый комплекс медитативных упражнений (на фоне медитации молодости).

5. Большой круг.

6. Трилистники (второй комплекс).

7. Коррекция фигуры (работа с образом «третьей руки»).

8. Омоложение лица.

К уже известным упражнениям добавляется работа по коррекции фигуры.

1–6. По всем позициям работаем самостоятельно

Особенно тщательно проводим разминку, завершая процесс дыхательной медитативной гимнастикой, затем переходим к тренировке эмоций.

Качаем маятник, отрабатывая плохо дающиеся позиции. Тренируя эмоции, продолжаем осознанную и целенаправленную работу над созиданием своего личного (и в какой-то степени идеального) образа молодости, формируем и корректируем свое «я». С нынешнего дня вы должны неуклонно искоренять в себе все проявления комплекса неполноценности, ибо «люди страдают не от того, что происходит, а от своего отношения к происходящему» (Монтень).

В связи с этим необходимо пересмотреть свое повседневное поведение и внести в него соответствующие коррективы, сверяясь с нижеприведенной методикой (Солтер. Условный рефлекс и его исправление. — Нью-Йорк, Фаррар, Страус и Кьюдахи).

Главные проявления комплекса неполноценности:

- страх, неуверенность в себе;
- чрезмерная застенчивость, ранимость;

- зависимость, замкнутость;
- инфантильность.

Все это в нас возникает как следствие нашего ошибочного представления о себе. Человек на подсознательном уровне инстинктивно стремится к двум вещам — избежать боли и получить удовольствие. Искаженная самооценка сильно сбивает его с курса, что мешает реализации этих инстинктов.

Практические советы по коррекции поведения:

- говорите, что думаете, не бойтесь выражать любые чувства;
- не стесняйтесь возражать, смело давайте сдачи в словесном споре;
- чаще и громче произносите местоимение «я» (я так думаю, я так считаю и т. д.);
- соглашайтесь, когда вас хвалят;
- чаще импровизируйте, живите мгновением, не планируйте каждый свой миг.

После тренировки эмоций проделайте (по своему усмотрению) некоторые упражнения с перемещением ощущений и можете позволить себе небольшой отдых.

7. Коррекция фигуры
(работа с образом «третьей руки»)

До начала работы мысленно оглядим свое тело и четко представим, что нам хочется в нем изменить.

Мы уже умеем сочетать ощущения с образом «третьей руки» и практиковались в работе с мысленным увеличением и уменьшением объема конкретных участков тела. Так что ничего принципиально нового для нас в предстоящем упражнении нет. Но в нем, как ни в каком другом, собрано понемногу все, что нами прежде освоено.

Постарайтесь в общей сложности уложиться в 15 минут. Работайте в образе молодости с огромным желанием достичь позитивного результата.

Подготовка к основному процессу.

Коррекция тонуса кожи (в тех местах, где она дряблая) и бесконтактный массаж суставов (тех, что дают о себе знать).

Начинаем с **Т + П**. Разогреваем воображаемую руку. Нагнетаем тепло по нарастающей, чтобы она стала горячей (как при стирке). Мысленно изнутри приближаем горячую руку к намеченному участку тела, добавляем (по нарастающей) **Т + П** каждой клеточке кожи, одновременно массируя это место «третьей рукой».

Так работаем минуту (или чуть больше), примерно через каждые 10 секунд добавляя тепло.

Далее переходим к беспокоящим (или некогда беспокоившим) нас суставам. Массируем их «третьей рукой» и составным ощущением **Т + П** одновременно в течение одной минуты (или полутора минут), представляя эти сочленения идеально здоровыми.

Основное упражнение

Переходим к нему сразу после подготовительной фазы. Все внимание направляем на участки тела, которые хотим изменить.

Обработку (как «третьей рукой», так и ощущениями) проводим по нарастающей, увеличивая силу и яркость образов. Работаем в нижеприведенной последовательности.

Уменьшение объема:

а) прогреваем намеченный участок (фрагмент) тела **(Т + П)**;

б) массируем его «третьей рукой»;

в) раздуваем объект (образ воздушного шарика: представляем, как данный фрагмент тела увеличивается в объеме, как натягивается и становится гладкой его кожа);

г) мысленно массируем раздутый фрагмент изнутри, разглаживая и разравнивая кожу;

д) «отсасываем воздух» (кожа опадает, постепенно сжимается, объем фрагмента соответственно уменьшается);

е) представляем почетче, как «похудел» некогда пышный объем;

ж) формируем («лепим») элемент своей фигуры, доводя его до необходимых пропорций, аккуратно разравнивая, растягивая кожу, убирая все лишнее и смыкая края (образ молодой, гладкой, чистой, упругой кожи озаряет нашу работу, все увеличиваясь по силе и яркости, он подпитывается нашим все разгорающимся желанием достичь идеального результата — то есть именно той формы, которая отвечает вашему идеальному представлению о себе);

з) закрепляем новую форму объекта прохладой, когда почувствуем, что работа («можно бы лучше, да некуда») завершена;

и) прохладной «третьей рукой» окончательно фиксируем результаты работы до ощущения прохладной легкости в каждой клеточке обрабатываемого участка тела.

Прохладная «третья рука» возвращается на свое место. Еще раз мысленно (с удовлетворением) оглядываем свою работу, запоминая «изваянный» образ, чтобы потом легче к нему приходить.

Увеличение объема

Работаем аналогично в следующем порядке:

а) прогрев (Т + П);

б) массаж «третьей рукой»;

в) раздувание;

г) формирование идеальной фигуры;

д) охлаждение;

е) фиксация прохладой.

8. Омоложение лица

Работа умышленно разбита на три этапа, чтобы ее было легче освоить. Четыре упражнения 8-го урока — подготовительные. В дальнейшем (и сегодня) нас будут интересовать только упражнения второго и третьего дня занятий (9—10-й уроки).

1-й этап. 1-е упражнение 9-го урока, но мы не ограничиваемся только лицом, а вместе с ним хорошенько прогреваем и шею (до самопроизвольного присоединения к Т ощущения П).

2-й этап. 2, 3 и 4-е упражнения 10-го урока.

3-й этап. Остальные шесть упражнений 9-го урока с добавлением физических приемов шиацу для снятия усталости глаз (10-й урок).

Необходимые напоминания и наставления

Упражнения для омоложения лица желательно включить в комплекс других упражнений, но можно их выполнить и отдельно (лучшее время для этого —

утро или вечер). Делать эти упражнения следует одно за другим без перерыва, настроившись на волну молодости и здоровья (с удовольствием и любовью к себе).

Начинайте всегда с **Т**, чтобы лучше подготовить кожу лица, как бы слегка ее промассировать. Затем **Т** желательно сочетать с **П**, равно как **П** — с **Х**. Прогревать лицо можно глубоко, не сдерживая интенсивности **Т**-ощущения. Нос следует «протопить» особенно тщательно — до носоглотки, и особенно тем, кого частенько прихватывает простуда (насморк, тонзиллит). Когда будете работать в области шеи, не забывайте, что кожный покров там толще, а сосудов в нем меньше, чем на лице, поэтому в этой области можно пускать в ход ощущения поярче, поинтенсивней, чем при работе с лицом.

Работая, старайтесь не пропускать ни одной морщинки, ни одной складки на коже, мысленно разглаживайте, расправляйте, разравнивайте их. Представьте (мы об этом уже говорили), как приятно начинает гореть кожа лица и шеи на морозном воздухе или после бани. В ней буквально трепещет каждая клеточка, она становится бархатистой, эластичной и приобретает естественный здоровый оттенок, именно тот, которого вы (увы, безуспешно) пытались добиться с помощью разного рода масок и иных косметических средств. Улыбнитесь, скажите себе, что теперь так будет всегда!

Вопрос: как долго следует заниматься всем этим?

Ответ: работайте до тех пор, пока это вам кажется необходимым. Сегодня на освоение комплекса вам отводится максимум 15—20 минут. Постарайтесь в 2 дня приобрести необходимые навыки и хотя бы на чуточку подсократить эти цифры.

Напоминаем, что поначалу упражнения по омоложению лица следует делать дома в спокойной располагающей обстановке.

И последнее. Упражнения как для лица, так и для шеи можно делать, используя образ «третьей руки», работая с ощущениями **Т** + **П** и **Х** + **П** (примерно по 2 минуты с каждым из них).

Урок двенадцатый

1. Разминка:
   - аутомануальный комплекс (массаж биологически активных точек головы);
   - упражнения для позвоночника;
   - упражнения для суставов рук и ног.

2. Дыхательная медитативная гимнастика.

3. Тренировка эмоций.

4. Работа с ощущениями **Т + П** и **Х + П**.

5. Работа с образом «третьей руки» (по желанию).

6. Комплекс упражнений по омолаживанию лица.

7. План работы на будущее.

Кто-то обрадуется, кто-то опечалится, но сегодня наш последний урок. Далее вас ждет самостоятельная (без внешних подсказок) работа. Впрочем, она начинается прямо сейчас.

Работаем индивидуально по первым шести пунктам программы урока. Они охватывают практически все, что предусмотрено программой учебного курса. Если материал освоен правильно, вашим верным компасом в дальнейшем плавании станет интуиция. Конечную цель данного обучения, если помните, составляют три следующие позиции:

- помочь ученику найти причину своих недугов;
- показать ему основные пути выхода из нездоровья;
- предоставить ему свободу выбора средств для поддержания гармонического единства души (эмоций и разума) и тела (здоровья).

Это гармоническое единство и есть состояние неувядающей молодости, к которому мы с вами неуклонно устремлены.

А посему ознакомьтесь с планом дальнейших действий.

Программа самостоятельной работы
(с момента освоения программы уроков и до 40-го дня обучения)

1. После освоения программы — отдых 2–3 дня, затем продолжаем работу автономно, имея в виду не-

обходимость уложиться в общей сложности не более чем в 40 (± 5) дней.

2. Занимаемся 3—5 раз в неделю с перерывами в 1—2 дня. Время занятий 20 минут. Таким образом, суммарное время занятий не должно превышать 50 минут в день (с учетом 15—20 минут на разминку).

3. Постоянно контролируем свое состояние. Искусственно настраиваемся на волну молодости и здоровья, если этот образ почему-либо уходит от нас. Занимаемся чаще всего именно тогда, когда не хочется, как бы встряхиваем себя. Эта практика дает великолепные результаты. Вечерами исправно фиксируем свое психоэмоциональное состояние в дневнике биоритма. Вечерние медитативные упражнения рекомендуется делать за 1—2 часа до сна: иногда они оказывают довольно бодрящее действие. Прием стакана горячей воды из утренних процедур можно исключить, свою функцию эта акция уже выполнила. Кишечник и мочевой пузырь перед занятиями должны быть свободными. После разминки обязателен душ. Перед утренними занятиями (за 20—30 минут) можно принять легкий завтрак.

План автономной работы на первые две недели

Утренние занятия

1. Аутомануальный комплекс, упражнения для позвоночника и суставов делаем не более 15—20 минут. Время сокращается за счет убавления числа повторов (до 3—5 раз). Если у вас есть в чем-то слабинка и вы об этом знаете (допустим, все еще беспокоит какой-то сустав), то можно слабому звену уделить чуть больше внимания, увеличив для него число повторов.

2. С эмоциями работаем в полном объеме — экскурсы в прошлое, медитация акта прощения и т. д. Неукоснительно отрабатываем принцип маятни-

ка, неустанно вырабатываем образ здоровья и молодости в упражнениях с **Т + П** и **Х + П**. Желание стать здоровым и молодым прогрессирует по нарастающей. При отсутствии образа здоровья и молодости никакая работа недопустима!

3. **Первый комплекс медитативных упражнений.** Перемещение ощущений в конечностях (через позвоночник) — 1 раз для каждого ощущения. Дыхание через нездоровый орган — 3–5 раз. Если орган парный, сначала «дышим» с одной стороны, затем с другой. Если нездоровы два разных органа — сначала через один, затем через другой. С приходом опыта с парными органами можно работать одновременно. Сбор и рассеивание ощущений — 3–5 раз. «Протирка» и «спираль» — в каждом направлении 3–5 раз. Можно делать «спираль», расширяя окружность (по аналогии с «шумным городом»), но обязательно в трех плоскостях. Работа с дефектами кожи. Все время работаем с образом чистой кожи. На этот комплекс отводится максимум 15 минут, стараемся уплотнить это время до 10 минут. Можно все упражнения выполнять сначала с **Т + П**, затем с **Х + П**.

4. **Второй комплекс медитативных упражнений.** «Трилистники» — 1–2 цикличных прохода для каждого ощущения. «Шумный город» — в течение 2–3 мин. Для коррекции функции нездорового органа: работа по оздоровлению органа при общем ощущении молодости и здоровья, а также при горячем и все возрастающем желании идеально оздоровить именно этот объект, поэтапно переживая за каждую стадию исцеления и хорошо представляя, что предстоит улучшить до конца срока занятий или до полного оздоровления. По времени второй комплекс также не должен занимать более 10–15 минут.

Вечерние занятия

Делаем 3—5 раз в неделю:

- урологический бесконтактный массаж;
- косметический бесконтактный массаж (упражнения по омоложению лица и шеи).

Если нет гинекологических и урологических проблем, первым двум типам массажа можно отводить 2—3 вечера в неделю. Каждый вид массажа делаем не более 10—12 минут, до появления чувства легкой усталости.

Еще раз напоминаем, что на все упражнения должно уходить не более 1 часа 20 минут в день, это время желательно постепенно сократить до 50—60 минут.

План автономной работы на две вторые недели

1. Образ молодости усиливаем по нарастающей.
2. Разминку проводим в том же объеме, как и в первые две недели.
3. Первый комплекс: работаем полностью.
4. Второй комплекс: «шумный город» и «трилистники» исключаем. Остаются (по желанию) лишь упражнения по коррекции зрения, слуха, функции нездорового органа.
5. Вечерние упражнения: работаем в прежнем объеме.
6. Добавляем упражнения с образом «третьей руки». Все упражнения делаем с парными ощущениями: Т + П и Х + П. Идеальное сочетание:
   Т + П (или пульсация) + «третья рука»;
   Х + П (или пульсация) + «третья рука».

Последовательность позиций при коррекции фигуры

Уменьшение объема:

- Т + П;
- массаж «третьей рукой»;
- «раздувание»;
- «массаж с раздуванием»;

- «отсос воздуха»;
- образ сжавшейся кожи;
- формирование («лепка») нового элемента фигуры (мысленно разравниваем, растягиваем кожу, как портной ткань, и, подобно скульптору, убираем все лишнее, смыкая края; работаем с увлечением, «обтягивая» объект чистой, гладкой, упругой кожей; хорошо представляем себе идеал, к которому стремимся);
- прохлада;
- образ прохладного легкого тела (**Х + П** вкупе с прохладной «**третьей рукой**»).

Увеличение объема:

- **Т + П;**
- массаж «**третьей рукой**»;
- «раздувание»;
- формирование («лепка») нового элемента фигуры (аналогично предыдущему упражнению);
- фиксация прохладой (**Х + П** вкупе с прохладной «**третьей рукой**»).

Последовательность работы с образом «третьей руки»

Допустимо (и даже желательно) работать с образом «третьей руки» везде, где только возможно (при условии, что это лучше и проще у вас получается, чем работа с обыкновенными перемещениями ощущений). Таким образом можно делать первый комплекс и вечерние упражнения. Идеально сочетание «третьей руки» с парными ощущениями **Т + П** и **Х + П.**

Последовательность работы такая:

1) массируем конечности (через позвоночник); массируем грудь, живот, шею, лицо (первый проход делаем «теплой рукой» в течение 2—3 минут, затем — «прохладной», тоже в течение 2—3 минут);

2) массируем кожу, суставы (особое внимание уделяем «любимым» местам);

3) корректируем фигуру в последовательности, описанной выше (работаем на волне здоровья и молодости, представляя мысленно свой идеальный облик, одновременно увеличиваем силу и яркость ощущений, энергично, но благожелательно работая «третьей рукой»; с **Т** работаем 3–5 минут, с **Х** — 2–3 минуты);

4) массируем шею, потом лицо в порядке, предписанном соответствующими упражнениями (примерно по 2 минуты как с **Т**, так и с **Х**); работаем (примерно по 2–3 минуты как с **Т**, так и с **Х**) с органом, требующим дополнительного внимания (не затрагивая области сердца и головного мозга).

После (примерно) 30-го дня занятий первый комплекс можно не делать. Продолжаем заниматься коррекцией фигуры и улучшать качество кожных покровов, то есть работать над созиданием своего идеального облика — молодого и практически не имеющего изъянов. Шлифуем детали, добиваясь желаемого эффекта. Если вы чувствуете, что работу с малым комплексом надо продолжить, можно продлить ее дней на 5, но не больше.

По истечении 40 (±5) дней обучения обязателен отдых — 15–20 дней. В это время — никаких тренировок, кроме (по мере надобности) разминки.

Далее действуйте по своему усмотрению, учитывая самочувствие. Если считаете, что не полностью восстановили функции беспокоивших вас органов или не добились желаемого эффекта в корректировке фигуры, можете, сверившись с интуицией, подключить упражнения из «Канона». Но знайте, эти недочеты говорят лишь об одном: сформированный вами образ молодости недостаточно ярок. Впрочем, как и о том, что нет пределов совершенству.

Вечерние упражнения, контроль за осанкой, мимикой и поведением не оставляйте никогда.

Успеха, радости и удачи во всех начинаниях!

Заключение

Итак, уважаемый читатель, вы прочли книгу, прошли 12 уроков. Надеюсь, что изложенные мною знания уложились в стройную систему, помогли вам поверить в свои силы и сделать первые, самые важные, шаги к молодости и здоровью. Я уверен, что вы сумели почувствовать, какие мощные запасы нерастраченных жизненных возможностей имеются в вашем организме.

Но это только начало. Вы получили надежную путеводную нить и важнейшие ориентиры. То, как сложится ваше дальнейшее восхождение к вершинам гармонии, всецело зависит от вашего терпения и настойчивости. Эта книга останется вашей надежной помощницей. Я рекомендую перечитывать ее вновь и вновь: повторное чтение открывает новые горизонты. И это неудивительно: кто больше знает, тому больше и открывается...

Желаю вам удачи!

С уважением,
М. Норбеков

«Институт Самовосстановления Человека»

Сайт Института: NORBEKOV.COM
Личный E-mail М. С. Норбекова: NORBEKOV@NORBEKOV.COM

Центральные представительства Института
в России и за рубежом:

№	Регион	Город	Код	Телефон
1.	Россия	Москва. Институт Самовосстановления Человека. Центральный офис	095	275 94 61 275 98 00 275 95 65 274 03 80 Fax
2.		Санкт-Петербург. Федерация Сам Чон До	812	112 88 35
3.		Санкт-Петербургский Центр Института Самовосстановления Человека	812	352 32 81 321 47 46
4.		Екатеринбург	3432	61 18 55
5.		Нижний Новгород	8312	55 28 64 8 831 906 06 85
6.		Калининград	0112	43 47 05 27 60 03
7.		Сочи	8622	32 32 39
8.		Новосибирск	3832	77 96 15 11 95 40
9.		Сызрань	84643	5 78 06
10.		Самара	8462	41 91 51 37 06 14 42 13 09
11.		Новороссийск	8617	24 24 94 28 48 33
12.	Саратовская обл.	Балашов	84545	3 15 17
13.		Ростов-на-Дону	8632	51 84 84
14.		Тула	0872	36 85 69 31 97 48
15.		Рязань	0912	53 54 35
16.		Курск	0712	6 79 95
17.		Курчатов	231	440 45
18.		Железногорск	248	439 07
19.		Астрахань, Ахтубинск	5141	1 55 98
20.		Дубна	221	4 92 62
21.		Сергиев Посад	254	5 45 82

№	Регион	Город	Код	Телефон
22.		Пермь	3422	34 32 76
23.		Тольятти	8482	30 57 81
24.		Ульяновск	8422	20 04 82 63 28 36
25.		Красноярск	3912	34 33 65
26.		Лесосибирск	39145	2 45 22
27.	Удмуртия	Ижевск	3412	25 63 72 76 65 78 34 40 31
28.	Удмуртия	Глазов	34141	3 23 12
29.	Удмуртия	Йошкар-Ола	8362	73 31 87 11 63 06
30.		Нижневартовск	3466	27 30 86
31.		Усть-Каменогорск	3232	24 24 49 47 22 22
32.		Нижнекамск	3466	35 48 47 42 32 38
33.		Набережные Челны	8552	56 09 57
34.	Башкорто-стан	Уфа	3472	74 89 46 33 45 32
35.		Тюмень	3452	21 26 80 25 34 88
36.	Тюменская обл.	Мегион	34663	3 70 95
37.		Белгород	0722	53 57 59 25 38 87
38.		Череповец	8202	51 19 71
39.		Вологда	8172	32 12 70
40.		Омск	3812	30 48 73 33 38 27
41.		Томск	3822	26 99 54
42.		Саратов, Энгельс	84511	2 81 33
43.		Оренбург	3532	65 50 14 50 80 24
44.		Можга	34139	3 12 023 3 27 60
45.		Коломна	26	12 75 22 12 25 56 15 52 95
46.		Липецк	0742	43 03 94
47.		Норильск	3919	39 06 29
48.		Челябинск	3512	42 04 77
49.		Якутск	4112	46 09 64

№	Регион	Город	Код	Телефон
50.		Семипалатинск	3222	62 31 30
51.		Чебоксары	8352	56 97 31 56 98 76
52.		Иркутск	3952	42 29 96
53.		Старый Оскол	0725	43 47 84
54.		Абакан	39022	5 52 50
55.		Фрязино	256	4 56 69
56.	Украина	Киев	10 380 44	547 51 92
57.	Украина	Львов	10 380 322	62 67 01 69 68 95
58.	Украина	Кировоград	10 380 52	256 54 80 8 050 321 99 39
59.	Украина	Одесса	10 380 48	748 89 02 237 27 65 234 30 57
60.	Украина	Симферополь	10 380 652	22 29 31 26 55 84
61.	Украина	Николаев	10 380 512	22 81 83 55 83 73 37 96 08
62.	Украина	Днепропетровск	10 380 562	47 45 45
63.	Белоруссия	Минск E-mail: norbekov_minsk@tut.bei	10 37517	248 46 34 214 55 87 228 83 84
64.	Белоруссия	Минск	10 37517	219 75 92
65.	Белоруссия	Минск	10 37517	268 15 43
66.	Латвия	Рига	10 3712	241 81 57 257 91 54
67.	Казахстан	Уральск	10 7 31122	4 76 51
68.	Казахстан	Астана/Петропавловск	10 7 3172	22 59 17
69.	Казахстан	Караганда	10 7 3212	56 40 05
70.	Казахстан	Актюбе	10 7 3132	51 71 06
71.	Казахстан	Жезказган	10 7 3102	77 13 41
72.	Узбекистан	Ташкент	10 99871	173 68 42
73.	Армения	Ереван	10 3741	55 32 43
74.	Израиль	Иерусалим	10 972	02 571 27 97 02 583 36 73
75.	Израиль	Хайфа	10 972	04 866 14 95
76.	Канада	Торонто	10 1905 10 1416	479 24 11 479 24 22 Fax 886 08 38 258 93 44
77.	США	Чикаго	10 1847	367 63 52 247 98 18
78.	Германия	Эрфурт	49 361	554 73 06 Тел/Fax

РОДИМЫЙ МОЙ!

Желаете ли Вы путем малюсенького поступка сделать величайшее добро?

Думаю, что да.

Желаете ли Вы, чтобы посаженное Вами дерево и после Вас давало плоды?

Я в этом уверен!

Желаете ли Вы с гордостью сказать, что здание, построенное для Вас, Ваших детей и внуков, возведено благодаря Вам?

Конечно!

Ваш вклад может стать краеугольным камнем в основании целого здания или тем кирпичиком, который увенчает его.

Тогда давайте объединимся в одну команду и построим Храм Здоровья, Знания, Успеха — Институт Человека.

Я знаю, у Вас, как и у нас, есть это желание!

Мы глубоко признательны Вам за любую поддержку, за доброе слово и любое Ваше участие.

Искренне Ваш, Мирзакарим Норбеков

Наши реквизиты

Получатель:
Благотворительный фонд Академика Норбекова

ИНН 7710432390

Расчетный счет № 40703810700000000119

в АБ «Собинбанк», г. Москва,

кор./счет 30101810400000000487, БИК 044525487

Статья перевода: благотворительное пожертвование